Rosa's verzorgpony

Voor Willem

Yvonne Kroonenberg

Rosa's verzorgpony

Leopold / Amsterdam

www.yvonnekroonenberg.nl

Eerste druk 2008

Omslagontwerp: Petra Gerritsen
Omslagfoto: Mark Sassen
Uitgeverij Leopold, Amsterdam / www.leopold.nl
ISBN 978 90 258 5291 7 / NUR 283

Uitgeverij Leopold drukt haar boeken op papier met het
FSC-keurmerk. Zo helpen we waardevolle oerbossen te behouden.

Inhoud

De woensdagmiddagles

'Waar is mijn hoevenkrabber!' Gea's stem schalt door de stal.

'Rosa! Waar zit je!'

Rosa staat voorovergebogen bij Tiptop, de zwarte manegepony op wie ze straks gaat rijden. Ze heeft een hoevenkrabber in haar hand, want ze was net bezig Tiptops hoeven schoon te maken. Met een zucht gaat ze rechtop staan en duwt haar sluike, donkerblonde haar uit haar gezicht.

Gea, de eigenares van Rosa's verzorgpony, komt met grote stappen op haar af. Ze heeft haar handen in de zakken van haar roze bodywarmer geduwd. Haar blonde paardenstaart danst op en neer.

'Waar heb je mijn hoevenkrabber gelaten!' zegt ze boos.

Rosa schudt haar hoofd.

'Ik heb jouw spullen niet gebruikt.'

'Wat is dat dan?' Gea wijst naar de gele hoevenkrabber.

'Dat is de mijne.' Rosa houdt haar hand omhoog.

'Die van jou is blauw,' zegt ze.

Gea kijkt haar kwaad aan.

'Wacht even.' Rosa maakt Tiptops laatste hoef schoon. Ze loopt voor Gea uit naar de kant van de stal waar de eigen pony's staan. Daar is de box van Zefir. Even kijkt ze naar haar verzorgpony, maar ze durft hem nu niet te aaien.

Voor de deur staat de grote plastic poetsdoos. Ze gaat op haar hurken zitten en zoekt tussen de borstels. Gea kijkt met haar armen over elkaar geslagen toe.

'Hij zit er niet in,' zegt ze.

Rosa komt overeind. Zwijgend loopt ze naar de wand met kastjes waar de mensen met eigen paarden hun spullen bewaren. Gea's kast staat open. Rosa steekt haar hand naar binnen en zoekt achterin. Ze vindt de hoevenkrabber meteen.

'Hier is ie.'

Gea grist hem uit Rosa's handen en loopt weg. Ze is zo te zien nog steeds boos. Maar dat is niks bijzonders. Dat is ze al twee maanden.

Zo lang geleden is het, dat er een briefje op het mededelingenbord in de kantine hing:

Bijrijder gezocht voor Zefir
Wij zoeken nog iemand voor de maandagavond en
soms voor het weekend.
Laura en Gea

In die tijd had Rosa nog geen moeilijkheden met Gea. Ze zagen elkaar wel, op woensdagmiddag, in de les van drie uur. Dat is een les voor halfgevorderden.

Rosa blijft altijd de hele middag op de manege. Ze mag vegen en opruimen en beginnende ruiters helpen met poetsen en opzadelen. Die kunnen dat nog niet zelf.

Gea komt meestal op het laatste moment. Soms heeft ze niet eens tijd om haar pony goed te verzorgen. Dan is ze maar net op tijd voor de les.

Zefir is een Haflinger. Hij is vrij groot voor een pony. Zijn lichaam is goudbruin en hij heeft lange blonde manen. Hij is net een sprookjespaard.

Rosa had nooit verwacht dat zij zou worden uitgekozen. Ze zit nog maar twee jaar op ponyles. Maar een week nadat ze had opgebeld, vertelde Gea haar dat ze op zondagmiddag mocht komen proefrijden.

Rosa was zo blij dat ze er niet van kon slapen. Ze was doodzenuwachtig toen ze voor het eerst opstapte. Maar er gebeurde een wonder. Het zadel was heerlijk zacht, het zat veel lekkerder dan de manegezadels die ze gewend was. En Zefir was niet alleen mooi, hij was ook supergevoelig. Ze hoefde haar kuiten maar tegen zijn flanken te leggen of hij ging in stap. Een klein duwtje met haar bekken en hij draafde. Het leek wel of ze alleen maar hoefde te dénken wat ze wilde. Zoiets had ze nog nooit meegemaakt.

Zefir is de liefste en beste pony die Rosa kent. Alleen op stal is hij een beetje kribbig. *BIJT!!!* staat met krijt op zijn staldeur geschreven. Daardoor denkt iedereen dat hij een chagrijnige pony is.

Toch hebben een paar andere meisjes ook gevraagd of ze bijrijdster mochten worden. Zij hebben ook proefgereden. Maar alleen Rosa werd gevraagd om voortaan op maandag voor Zefir te zorgen.

Dat kwam vooral door Laura. Die komt om te rijden. Ze houdt niet van poetsen. Dat laat ze liever door een ander doen. Rosa zegt nooit nee als iemand haar vraagt om een pony op te zadelen.

Gea had liever een andere bijrijdster gehad, denkt Rosa. Ze voelt dat Gea iets tegen haar heeft, al kan ze niet bedenken wat.

Op woensdag rijdt Rosa nog steeds in de gewone manegeles. De andere kinderen die bij de halfgevorderden horen, zijn inmiddels ook op stal bezig. In de zadelkamer komt ze Sem tegen, de enige jongen die op haar uur rijdt. Hij is twaalf, een jaar ouder dan Rosa en Gea. Hij is klein voor zijn leeftijd en heel stoer met zijn donkere korte haar en zijn sportjack.

'Wie heb je?' vraagt Rosa.

'Dorrit.'

'Jij durft!'

Sem lacht. Dorrit is een kleine zandkleurige pony die er lief uitziet, maar heel ondeugend is. Ze bokt vaak. Maar Sem is helemaal niet bang.

Rosa pakt het zadel en hoofdstel en loopt terug naar de stands, waar de pony's naast elkaar staan. Toen ze pas reed vond ze het zielig dat ze geen eigen box hadden, zoals de pensionpaarden en -pony's. Maar van Tamara, die altijd op stal werkt, heeft ze geleerd dat paarden liever vlak bij elkaar staan. Als ze elkaar tenminste aardig vinden. Want paarden hebben net zo goed vrienden en vijanden als mensen.

Rosa heeft geen vijanden. Geen vrienden ook, trouwens. Ze denkt dat dit komt doordat ze zo verlegen is. Als klasgenoten een spel beginnen, durft ze nooit te vragen of ze mee mag doen.

Vroeger was er wel eens iemand die haar uitnodigde. Toen ze klein was, werd ze daar zo zenuwachtig van dat ze wegrende.

Inmiddels denken anderen waarschijnlijk dat ze liever alleen is. Dat vindt ze niet erg. In de pauze blijft ze vaak bij de cavia in het klaslokaal. En als ze naar buiten gaat, staat ze bij het hek langs het plein. Daarachter is een weitje met geiten en twee pony's.

Van de manegepony's weet ze niet van wie ze het meest houdt.

'Ik vind jou net zo lief als Zefir hoor,' fluistert ze tegen Tiptop, terwijl ze het zadel op zijn rug legt. 'Jij bent braver. Maar hij luistert beter.'

Tiptop snuffelt aan de zak van haar bodywarmer. Daar zit soms wat lekkers in.

'Straks krijg je,' zegt Rosa, 'als ik moet aansingelen.'

Voor de meeste pony's is het vervelend als de singel, de riem die het zadel op zijn plaats houdt, wordt strakgetrokken. Zefir gaat dan altijd bijten. Daarom geeft Rosa hem telkens een stukje wortel voor ze aansingelt. Dan heeft de pony het te druk met kauwen om naar haar te happen.

Als het zadel goed ligt, pakt Rosa het hoofdstel. Meteen

steekt Tiptop zijn hoofd zo hoog mogelijk. Zo kan Rosa de teugel niet om zijn hoofd leggen.

'Tippie!' zegt ze. 'Niet zo lastig zijn. Kijk! Ik heb nog een stukje wortel.'

Nu gaat het ineens heel gemakkelijk.

Een eindje verder in de rij staan nog drie pony's klaar: Caprilli, Quincy en Mirke. Een mollig meisje loopt met Quincy naar de toegangsdeur van de rijbaan. Ze heet Donna, weet Rosa.

'Axel! Mogen we naar binnen?' roept Donna naar de instructeur.

'Ja!' klinkt het uit de rijbaan.

'Kom Tip, het is tijd.' Rosa zet gauw haar cap op, pakt haar zweepje en neemt de pony mee aan twee teugels.

Bij de ingang staan Sem met Dorrit, Donna met Quincy en nog twee pony's die uit de pensionpaardenstal komen. Dit is een drukke les.

'Zefir, hou op!'

Rosa draait zich om. Ze ziet dat Zefir zich naar Tiptops staart buigt om aan hem te ruiken.

'Laat dat!' schreeuwt Gea en ze geeft een ruk aan de teugel. Zefir hapt meteen naar haar.

Rosa kijkt gauw voor zich. Ze zou wel tegen Gea willen zeggen dat het haar eigen schuld is dat Zefir zo lelijk doet. Maar ze kan beter haar mond houden.

De halve deur naar de rijbaan gaat open.

'Deur vrij?' roept Sem, voordat hij naar binnen gaat.

'Deur vrij!' roept Axel terug.

De ruiters van de vorige les stappen op een volte bij A. Het zijn beginners. De meesten zijn nog maar acht of negen jaar.

Achter Donna aan loopt Rosa met Tiptop naar binnen. Ze lopen langs de hoefslag naar rechts, wenden op de lange zijde af en gaan op de A-C-lijn staan, de denkbeeldige middenlijn. Daar moeten ze wachten tot ze worden geholpen met opstijgen.

'Zal ik jou helpen?' biedt Tamara aan. Ze is groot en draagt haar honingblonde haar in een dikke vlecht. Ze is de vriendin van Axel.

'Graag,' zegt Rosa.

Als alle ruiters zitten, begint de les.

Axel laat hen eerst rustig stappen. Daarna moeten ze de teugels op maat maken en gaan ze draven.

Tiptop is een slimme pony. Hij spant zich zo weinig mogelijk in. Pas als Rosa hem een tikje met de zweep geeft, gaat hij netjes in draf.

'Van hand veranderen bij F!' commandeert Axel. 'Goed zo, Rosa, pak die Tiptop maar een beetje aan. Sem, je rijdt op het verkeerde been. Gea, geef je pony eens een beetje ruimte. De les is nog maar net begonnen. Hij moet eerst zijn hals naar voren brengen om zich te ontspannen. Laat hem maar even los-joggen.'

Rosa denkt aan Zefir. Hij heeft een heel gevoelige mond. Als je te ruw met hem bent, gaat hij bokken. Hij is heel anders dan de manegepony's. Dat komt doordat hij maar drie ruiters heeft. Op Tiptop rijden misschien wel vijftig kinderen. Eigenlijk luisteren manegepaarden vooral goed naar de instructeur.

'We gaan de pony's verdelen over twee cirkels,' zegt Axel. 'Een bij A en een bij C. Dat doen we om en om. Als je voorganger de A neemt, rij jij door naar de C. Sluit je buitenbeen goed aan, leg het iets achter de singel, aandrijven met je binnenbeen en we gaan in de linkergalop!'

Tiptop wil niet in galop. Als Rosa drijft, gaat hij alleen harder draven.

'Duw je binnenheup, de linker dus, een beetje naar voren, Rosa! Doe of je met hem meeswingt.'

Rosa probeert te doen wat Axel haar aanraadt en ineens

valt Tiptop vanzelf in een mooie regelmatige galop.
'Overgaan in draf en bij H van hand veranderen!'

Als alle ruiters zijn overgestoken, mogen de pony's hun hals strekken en even op adem komen.

Gea duikt naast Rosa op.

'Wil jij Zefir morgenmiddag even longeren?' vraagt ze poeslief. 'Mijn zus kan niet en ik ga met mijn moeder naar de stad. Een cd kopen voor mijn kerstrapport.'

Rosa knikt.

'Goed,' antwoordt ze kort. Ze doet haar best niet jaloers te zijn. Zelf krijgt ze nooit iets voor een rapport.

Een eenzame maaltijd

Er ligt een briefje op de keukentafel.

Maak maar een lekkere pizza!

Rosa eet vaak pizza. Haar ouders moeten geregeld 's avonds uit, naar een vergadering of sporten of schaken of uit eten of naar het theater. Dan ligt er een briefje. Soms moet ze iets opwarmen in de magnetron, soms mag ze patat kopen of een pizza uit de diepvries halen.

Ze doet het deurtje van de diepvries open en kijkt wat er ligt. Dan gaat de telefoon. Hij ligt op het aanrecht, naast een theekopje met lippenstift langs de rand.

Voor ze haar naam zegt, kijkt Rosa wie er belt.

'Hoi oma!' zegt ze blij.

'Ben je alleen?' vraagt oma.

'Ja.'

'Heb je al gegeten?'

Rosa vist een pizza uit de la, terwijl ze de telefoon tegen haar oor houdt.

'Nee,' zegt ze. 'Ik mocht pizza maken.'

'Hm.' Oma zegt even niks.

'Vind je dat lekker?' vraagt ze dan. 'Wéér pizza?'

'Nee. Nou ja, soms,' zegt Rosa.

'Ik had je daarnet al gebeld. Was je op de manege?'

'Ja. Ik had Tiptop.'

'Is die lief?'

'Ze zijn allemaal lief.'

'Brr,' doet oma. Ze is bang van paarden.

'Ik mag morgenmiddag Zefir longeren.'

'Wat is dat ook weer?'
'Aan een lange lijn rondjes laten lopen.'
'Mmm.'
Rosa weet wel wat oma denkt. Ze vindt het niet goed dat haar kleindochter zo vaak alleen thuis is. Af en toe zegt ze er wat van tegen Rosa's vader. Maar hij gaat nooit op de verwijten in. Hij vindt dat zijn moeder zich niet met zijn gezin mag bemoeien.

Het liefst zou oma de auto pakken en op alle avonden dat Rosa alleen is, langskomen om haar gezelschap te houden, maar dat mag niet.
'Ze is al vaak genoeg hier,' heeft Rosa haar moeder wel eens boos horen roepen. Dat was na een telefoongesprek met oma. Rosa zat in de kamer televisie te kijken en hoorde de harde stemmen uit de keuken komen.
'Je moeder komt alleen langs om mij in te peperen dat ik een slechte moeder ben.'
'Of ik een slechte vader,' antwoordde Rosa's vader.
'Pff, jij bent haar lieve zoontje, jou neemt ze niks kwalijk.'
'Ja hoor, tegen mij zeurt ze ook.'
'Ze zeurt zelfs tegen Rosa,' zei haar moeder. 'Straks gaat dat kind ook nog denken dat moeders thuis horen te zitten met een kopje thee.'
Rosa vindt het vervelend dat oma ongerust is. Daar komt alleen ruzie en narigheid van.
'Gea deed ineens helemaal aardig tegen me,' zegt ze daarom snel. 'Haar zus heeft morgen geen tijd en dan moet zij eigenlijk rijden, maar daar heeft ze geen zin in, want dan moet ze heel vlug eten. De les begint al om zeven uur.'
'Waarom mag jij niet op hem rijden?'
Rosa haalt haar schouders op en friemelt aan haar trui.
'Geen idee.'
Het is even stil.
'Wanneer begint de kerstvakantie?' vraagt oma.

‘Vrijdag. Overmorgen.’
‘Heb je een rapport gehad?’
‘Ja.’
‘Is het goed?’
‘Gaat wel,’ zegt Rosa. ‘Geen onvoldoendes. Maar ik ben

niet zo goed in geschiedenis. En niet in rekenen.’
‘Bewaar het maar voor mij. Dan zal ik ernaar kijken.’
‘Goed. Leuk!’
‘Nou, lieve kind, ga maar gauw je pizza maken,’ zegt oma. ‘Hoe laat ga je naar bed?’
‘Om negen uur of zo.’
‘Niet langer opblijven, hoor!’
‘Nee, oma,’ zegt Rosa braaf.
Als ze heeft opgehangen, denkt ze weer aan Gea. Misschien moet ze de volgende keer vragen of ze in de les mag rijden in plaats van te longeren.
De moeilijkheid is alleen dat Gea het leuk schijnt te vinden om op alles *nee* te zeggen. Ze zou het ook aan Laura kunnen vragen. Die maakt het niks uit of ze longeert of rijdt. Als zijzelf maar niks hoeft. Laura is lui.
Rosa zucht en schuift de pizza in de magnetron. Ze kan beter niks vragen.

Worst

'Je sliep al toen we thuiskwamen,' zegt Rosa's moeder, terwijl ze de keuken binnenkomt en gapend thee inschenkt. Ze is nog maar net op. Haar haren zitten slordig en ze heeft een satijnen ochtendjas aan.

Rosa zit aan de keukentafel. Ze heeft haar ontbijt al op en pakt vier boterhammen die ze klaar wil maken om mee te nemen.

'Waren jullie laat?' vraagt ze.

'Viel wel mee,' zegt haar moeder. 'Het was een uur of twaalf, denk ik. Waar is al dat brood voor?'

'Ik ga na school even langs de manege.'

'Op donderdag?'

'Ik mag Zefir longeren. Laura kan niet en Gea mag voor haar goeie rapport een cd kopen.'

Rosa houdt even haar adem in. Zou haar moeder de hint oppikken? Maar niks hoor.

'Je kunt toch thuis eten?'

'Kook je?' vraagt Rosa verbaasd.

'Ja. Ik zou met een collega naar een cabaretvoorstelling gaan, maar ze heeft afgebeld. En toen bedacht ik dat ik jou veel te weinig zie. Hoe laat ben je thuis?'

Rosa denkt snel na. Ze komt om halfdrie uit school. Eigenlijk was het nu juist niet slecht uitgekomen als haar ouders iets anders te doen hadden. Als ze opschiet, kan ze om vijf uur klaar zijn.

'Halfzeven?'

'Zes uur,' zegt haar moeder kordaat. Ze schuift haar lege kopje van zich af.

'Ik ga douchen,' kondigt ze aan. 'Ik zie je vanavond wel. Heb je ook zo'n zin in boerenkool met worst?'

‘Nee,’ zegt Rosa. ‘Geen worst. Ik wil geen beesten eten.’

‘Geen flauwekul hoor!’ waarschuwt haar moeder. ‘Ik kan niet vegetarisch koken. Trouwens, je eet ook pizza.’

‘Omdat er niks anders is,’ protesteert Rosa. Ze kijkt even naar de boterhammen op haar bord en doet er dan twee terug in de broodzak.

Haar moeder heft haar handen.

‘Je bent nog niet eens twaalf,’ zegt ze. ‘Het is nog veel te vroeg voor de puberteit.’

‘Als ik naar de brugklas ga, word ik vegetariër. Dan ben ik bijna dertien.’

‘Ben jij vrijdag extra vroeg vrij?’

Rosa begrijpt een ogenblik niet wat haar moeder bedoelt.

‘Kerstvakantie!’

‘O ja!’ Nu was ze het zelf vergeten.

‘Heb je plannen?’ Haar moeder staat op en trekt haar ochtendjas strakker om zich heen.

‘Ik weet het niet,’ zegt Rosa met een frons. ‘Ik wil wel naar de manege. Verder weet ik het niet.’

‘Je kunt niet de hele dag thuis hangen,’ zegt haar moeder vriendelijk. ‘Want dan kan ik niet werken. Nou ja, we zien wel.’

Rosa’s moeder werkt voor een tijdschrift. Ze moet de foto’s bij artikelen kiezen en zorgen dat de bladzijden mooi zijn. Ze is vaak weg om met fotografen te praten en met de mensen die het tijdschrift maken. En als ze thuis is, zit ze aan de telefoon.

Ze heeft geen aparte werkkamer, want daar is de flat waar ze wonen te klein voor. Als ze visite hebben, moeten ze haar laptop, haar papieren, boeken en tijdschriften naar één kant van de tafel schuiven, anders kunnen de borden er niet bij.

Als Rosa en haar ouders met zijn drieën zijn, eten ze in de keuken. Die tafel wordt altijd opgeruimd. Daar let Rosa’s vader speciaal op. Hij heeft een hekel aan rommel. Hij legt de kranten in een doos als ze een dag oud zijn, hij maakt de afwasmachine elke dag leeg en hij zet de vuile vaat erin.

Rosa's vader zit bij de politie, niet als agent in uniform met handboeien en een pistool aan een riem, maar op kantoor. Hij maakt beleid. Wat dat is, weet Rosa niet. Hij vertelt er nooit over.

'Is papa al wakker?' vraagt Rosa.

Op hetzelfde moment hoort ze hem op de gang. Hij steekt even zijn hoofd om de keukendeur.

'Ha, meiden!' groet hij. 'Is er koffie?'

'Als je onder de douche vandaan komt,' belooft Rosa's moeder. 'Roos, je moet weg. Het is kwart over acht.'

Rosa staat met tegenzin op. Het liefst zou ze met haar ouders aan de ontbijttafel blijven zitten. Ze wil de verhalen van gisteravond horen en vertellen over de ponyles. Daar vraagt niemand naar.

Ze zou trouwens niet goed weten wat ze moest zeggen. Dat Tiptop op de rechterhand meteen in galop ging. Dat Axel zei dat ze erg vooruitgaat. Dat ze nog een hele tijd in de kantine heeft zitten kijken naar de andere lessen en dat Dorrit in de gevorderdenles heel erg had gebokt en dat het meisje dat op haar reed er zo hard afviel, dat ze eerst dachten dat ze iets gebroken had.

'Schiet op, schat,' maant haar moeder. Ze gaat staan om Rosa een zoen te geven.

'Ik zie je vanavond. Boerenkool, zei je hè? Met worst.'

Longeren is ook leuk

'Nog één dag!' zucht een van Rosa's klasgenoten tevreden. Ze komt met een ander meisje uit groep acht de fietsenstalling binnen. Rosa heeft haar fiets al van het slot gehaald.

'Heb jij ook zo'n zin in de vakantie?'

'Heel erg!' zegt haar vriendin.

Rosa bindt haar tas op de bagagedrager en legt het slot er bovenop. Zij vindt het helemaal niet zo leuk dat het kerstvakantie is. Ze heeft niemand om mee af te spreken en haar ouders moeten gewoon werken.

'Wat ga jij doen?'

Rosa voelt een duwtje tegen haar rug. Geschrokken draait ze zich om.

'Wat ga jij doen?' vraagt het meisje opnieuw.

Rosa krijgt rood gezicht.

'Ik weet het niet,' zegt ze. Ze hoort zelf hoe stug het klinkt, maar het komt er nu eenmaal zo uit. Ze is niet gewend dat iemand haar iets vraagt.

Vroeger fantaseerde ze altijd dat ze een jonger zusje had. Ze had een naam voor haar verzonnen. Merel heette ze. Ze bedacht allerlei avonturen voor haarzelf en haar zusje. Dan verdwaalden ze in het bos en moest Rosa het pad terug zoeken en Merel veilig naar huis brengen. Of er was een kinderlokker, tegen wie zij haar moest beschermen.

Toen ze pony ging rijden, verdwenen de zusjedromen. Als ze tegenwoordig fantaseert, bedenkt ze dat ze een proef mag rijden op muziek en dat haar ouders en de hele klas komen kijken en dat iedereen haar toejuicht.

Terwijl ze wegrijdt, voelt Rosa zich ineens treurig, alsof

de school al gesloten is en ze de eerstkomende twee weken met niemand meer kan praten, al zou ze het willen.

Op de manege is het nog stil. Om vier uur beginnen de lessen pas. Rosa loopt het kleine houten trappetje op dat naar de kantine leidt.

Aan de bar zitten twee vrouwen die elk een eigen paard hebben. Die hebben op de stille uren gereden. Ze drinken koffie en kijken door de ruit naar de binnenrijbaan. Rosa volgt hun blik. Er is een privéles aan de gang.

Axel staat in het midden en geeft aanwijzingen aan een mevrouw die zo te zien nog maar pas paardrijdt. Ze leert lichtrijden. Als je het eenmaal kunt, is dat helemaal niet moeilijk: je veert gewoon mee omhoog met de beweging van het paard en dan ga je weer zitten, sta-zit-sta-zit. Maar als je het voor het eerst doet, stuiter je alle kanten uit.

Van de paarden kent Rosa lang niet alle namen, ze rijdt alleen op pony's. Maar dit paard kent ze wel. Het is King, een oude ruin die altijd wordt ingezet voor beginners omdat hij zo braaf is.

Tamara heeft wel eens gezegd dat King vroeger een heel goed springpaard was. Daar is niks meer van te zien. Met zijn neus vooruitgestoken sukkelt King in het rond op de volte. Hij heeft al zoveel beginners op zijn rug gehad.

'Zo zijn wij allemaal begonnen,' zegt de ene vrouw aan de bar.

'Toch goed van Annet, dat ze het op haar leeftijd nog gaat proberen,' antwoordt de andere.

Barbara, de beheerster van de kantine, komt bij hen staan. Ze heeft een droogdoek in haar hand en poetst de glazen.

'Ze heeft een dochter die hier rijdt,' zegt ze. 'Het lijkt me best leuk als je moeder meedoet met je hobby.'

'Moet je die handen nu toch zien,' zegt de eerste mevrouw. 'Arme King.'

Haar vriendin giechelt. Rosa kijkt naar Barbara. Die houdt een glas tegen het licht. Ze doet net of ze de opmerking niet heeft gehoord.

Annet op het paard heeft inderdaad onrustige handen. Ze kan ze nog niet stilhouden. Dat is nu eenmaal zo als je pas begint met rijden.

'Ze moet maar zo snel mogelijk een rijbroek en rijlaarzen kopen,' begint de eerste mevrouw weer. 'Dit is geen gezicht.'

Annet heeft kaplaarzen aan. Haar spijkerbroek is opgekropen tot halverwege haar kuiten. Ze schijnt het zelf niet te merken.

Barbara zet het glanzende glas neer. Nu pas ziet ze Rosa.

'Hai,' groet ze. 'Kom je Zefir rijden?'

'Longeren.'

'O, mag je er weer eens niet op van de dames?'

Rosa haalt haar schouders op.

'Longeren is ook leuk,' antwoordt ze dapper.

De vrouwen aan de bar draaien zich naar Rosa om.

'Wie is jouw paard?'

'Een pony,' verbetert Rosa. 'Zefir. Hij is niet van mij, hoor.'

'Is dat die Haflinger van die twee meisjes?'

Rosa knikt. Ze wacht even of iemand nog wat tegen haar gaat zeggen, maar de vrouwen hebben zich alweer naar de ruit toegekeerd. Rosa loopt naar de hoek van de bar, waar een mandje met sleutels staat. De sleutel met het oranje label eraan is van het kastje van Laura en Gea.

Terwijl ze de kantine uitloopt, voelt ze dat er achter haar rug over haar wordt gepraat. Zo gaat dat altijd in de kantine, iedereen wordt besproken. Ze kan zich precies voorstellen wat er wordt gezegd: *Dat arme kind moet al het werk op stal doen voor die meiden. Ze laten haar poetsen en dat beest longeren. Maar ze mag er nooit op. Ja, op maandagavond, in die drukke les, waar niemand de kans krijgt wat te leren.*

Zo zullen ze over haar zitten te roddelen. Maar Rosa is niet zielig. Ze is maar wát blij dat ze voor Zefir kan zorgen. Erop of ernaast maakt haar niet uit.

Ze maakt het kastje open en tilt de poetsmand eruit.

Zefir staat aan zijn stro te knabbelen. Als de deur van zijn box opengaat, heft hij zijn hoofd met een ruk op en legt zijn oren plat.

'Dag Zefir,' zegt Rosa met een zachte stem. 'Je hoeft niet zo lelijk te doen, hoor. Ik heb wat lekkers voor je meegebracht.'

Ze zoekt in naar zak en houdt hem een stukje wortel voor. Zefir steekt zijn oren weer naar voren en neemt de wortel voorzichtig aan. Dan trekt hij weer een chagrijnig gezicht en hapt in Rosa's richting.

'Stil maar,' zegt ze. 'We gaan eerst poetsen.'

Rosa is soms in de buurt als Gea de pony poetst. Zij schreeuwt veel tegen hem.

'Waag het niet me te bijten!' hoort Rosa haar dan roepen. Maar Zefir bijt niet echt. Hij doet maar alsof. En het wordt erger als je hem zenuwachtig maakt.

Laura schreeuwt ook, maar niet zo hard als haar zus. Rosa fluistert alleen tegen hem.

'Geef maar een voet,' zegt ze. 'Toe maar, Zefie, voet!'

Gehoorzaam tilt de pony zijn linkervoorbeen op en laat Rosa zijn hoef uitkrabben. Een voor een maakt ze de hoeven schoon. Dan pakt ze de zachte borstel en begint Zefirs manen te borstelen.

Er zit ook een borstel met stalen stekels in de poetsmand. In het begin gebruikte Rosa die, want dat werkt veel gemakkelijker. Maar toen Laura dat zag, viel ze tegen haar uit: 'Je moet de zachte borstel nemen! Zie je niet hoeveel haren je er op die manier uittrekt?'

Rosa was zo geschrokken, dat ze tranen in haar ogen kreeg. Tegenwoordig is ze gewend aan de harde, onvriendelijke stem van Laura.

Als de pony gepoetst is, loopt Rosa terug naar het kastje en pakt het hoofdstel en de lange lijn. Als ze het hoofdstel heeft dichtgegespt en de teugel onder de keelriem heeft vastgemaakt, zodat hij niet kan flapperen, pakt ze de longeerlijn.

'Even denken,' mompelt ze. 'Moest hij nu aan de binnenste bitring of aan de buitenste? De buitenste, geloof ik.'

'Weet je dat nou nóg niet?'

Rosa's hand schiet uit.

'Voorzichtig een beetje!' snibt Laura. 'Moeten zijn kiezen eruit?'

Rosa heeft haar niet horen aankomen. Ze staat te trillen op haar benen. Zefir is achteruitgedeinsd en staat met zijn oren plat te kijken, terwijl Laura binnenkomt.

'Wat sta je te doen?' vraagt ze.

'Ik ging Zefir longeren.'

'Nou, dat hoeft niet, want ik ben er,' zegt Laura, terwijl ze de lange lijn losmaakt. 'Ga het zadel maar halen. Ik kan in de les van vier uur meerijden.'

'Maar Gea had gezegd...' begint Rosa.

'Dat kan wel zijn, maar nu ben ik er.'

Rosa voelt hoe haar wangen rood worden van drift. Zonder iets te zeggen loopt ze de box uit. Voor geen prijs gaat ze het zadel halen. Wat heeft zij die rotmeid gedaan, dat ze zo doet? Er lopen tranen van schrik en woede over haar wangen.

Wat moet ze nu doen? Naar huis gaan? In gedachten ziet ze haar moeder al met gefronste wenkbrauwen opkijken als ze veel vroeger thuiskomt. Op de manege blijven? Aarzelend blijft ze bij het trapje naar de kantine staan. Dan gaat de deur open en komt een van de vrouwen naar beneden.

'Wat is er met jou?' vraagt ze.

Rosa veegt gauw de tranen van haar wangen.

'Niks!' zegt ze schor.

De mevrouw kijkt haar schuin aan.
'Dat meisje is er, hè?'
'Het geeft niet,' mompelt Rosa.
'Hebben jullie ruzie?' Ze schudt afkeurend haar hoofd en haalt haar autosleutels uit haar tas.
Rosa geeft geen antwoord. Ze schaamt zich. Het is net of ze een stom sukkeltje is, dat zich op haar kop laat zitten.
De mevrouw haalt haar schouders op en loopt naar buiten.
Rosa draait zich om en gaat terug naar de stal.
Ik pik het niet, neemt ze zich voor. Ik ga zeggen, dat ik haar niks heb gedaan en dat het niet eerlijk is dat ik ineens niet mag longeren.
Laura heeft zelf het zadel gehaald en is net klaar. De staldeur staat open. Rosa kijkt het blonde meisje strak aan.
'Ik vind het niet eerlijk,' begint ze.
'Wat nou?'
'Gea had gevraagd of ik Zefir wou doen.'
'Dat had ze dan tegen mij moeten zeggen. Er lag een briefje van mijn moeder dat zij met Gea de stad in ging. Dus ben ik hier. Gea heeft niets tegen mij gezegd.'
'Tegen mij wel!'
'Dat is ze dan vergeten aan mij door te geven. Sorry hoor! Maar dan moeten jullie maar betere afspraken maken.'
Rosa bijt op haar lip en zegt niets. Zwijgend kijkt het blonde meisje haar aan.
'Ga je nog weg? Ik moet rijden,' zegt ze.
Rosa blijft koppig staan.
'Ze had mij zelf gevraagd,' herhaalt ze.
Laura schopt wat stro voor haar voeten weg.
'Ik ga nu rijden,' zegt ze ongeduldig. 'Maar in de kerstvakantie kun je wel wat vaker komen.'
Rosa aarzelt.
'Je hoort wel wanneer we je nodig hebben,' zegt Laura en keert Rosa haar rug toe.

Ouders begrijpen nooit wat

'Heb je het leuk gehad?' roept Rosa's moeder vanuit de keuken als Rosa de hal binnenstapt.

Op hetzelfde moment komt haar vader de woonkamer uit.

'Zo meid,' zegt hij vriendelijk, 'je bent netjes op tijd. Ga maar iets anders aantrekken, dan kunnen we zo eten.'

Rosa wijst in de richting van de keuken.

'Mama riep me.'

Ze loopt voor haar vader uit, de keuken in.

Op het vuur staat een grote pan te borrelen. Het ruikt naar boerenkool. Haar moeder is een rookworst in plakjes aan het snijden.

'Lydia, mijn moeder belde,' zegt haar vader. 'Of we zondagmiddag langskomen, met z'n drieën.'

'Leuk!' zegt Rosa. Ze hoopt stiekem dat oma iets voor haar heeft gekocht, voor haar rapport.

'Zondag?' zegt haar moeder met een zorgelijk gezicht. 'Ik weet niet of dat een goed idee is. We gaan de tweede kerstdag al naar haar toe.'

'Ze vroeg het,' zegt haar vader.

'Ik kan toch alleen gaan?' biedt Rosa aan.

Haar ouders kijken haar met grote ogen aan. Alsof ze verbaasd zijn dat Rosa kan praten.

'Dan kan ik wel lekker opschieten met die voorjaarsreportage,' zegt haar moeder.

'Ik ga wel met Rosa samen,' beslist haar vader. 'Ik bel haar even terug.'

'Goed, en nu mijn keuken uit, allebei. Anders mislukt het eten.'

Rosa loopt achter haar vader aan naar de voorkamer. Hij kijkt naar de plek waar de telefoon in de houder hoort te staan, op de werktafel.

'Waar is dat ding?'

'Ik weet het niet. Op de bank?'

Haar vader draait zich om naar de bank.

'Waarom ligt in dit huis nooit iets op zijn plek?'

Rosa gaat in een van de twee leunstoelen zitten. Onder haar rijbroek voelt ze een bobbel.

'Hier is ie!' Ze staat op om de telefoon aan te reiken. Haar vader snuift met gefronste wenkbrauwen.

'Zou jij niet eens schone kleren aantrekken?' stelt hij voor terwijl hij een nummer intoetst.

Rosa kijkt naar haar rijbroek.

'Je ruikt naar paarden,' zegt hij. 'Hallo ma, met mij. We komen zondag, Rosa en ik...'

'...Nee, Lydia moet werken. *Hup, schiet op!* Hè? Nee, dat is tegen onze Rosa. Die loopt eeuwig in paardrijkleren. Ja. Ja. Nee. Tot zondag!'

Rosa gaat naar haar kamer. Als ze haar rijbroek heeft uitgetrokken, ruikt ze eraan. Paarden. Lekker. Ze gaat voor haar klerenkast staan en pakt een spijkerbroek, een schoon T-shirt en een katoenen vestje met capuchon. Haar sokken houdt ze aan. Die zijn echt niet vies.

Terwijl ze zich aankleedt, denkt ze terug aan de middag. Ze heeft vanuit de kantine nog een poosje naar Laura staan kijken, die in de les van vier uur reed. Het is een ponyles voor kinderen die nog niet zo lang rijden.

Rosa kon zien dat Laura zich te goed voelde voor hen. Ze wendde steeds af en reed zelfs een keer tegen de rijrichting in. Pas toen Axel iets tegen haar zei, keerde ze om en bleef tussen de andere ruiters op de hoefslag.

Laura rijdt wel heel goed, beter dan Gea. Die maakt Zefir altijd zenuwachtig doordat ze zo slordig rijdt. Laura zit kaarsrecht en je kan bijna niet zien wat ze met haar benen of met de teugels doet. Dan loopt Zefir ook op z'n best, met een ronde gebogen hals. Aan de teugel, heet dat.

'Rosa!' klinkt haar moeders stem op de gang. 'Eééé ten!'

'Ja!' roept ze terug.

Op de keukentafel staan drie diepe borden boerenkool met een vork en een mes ernaast.

'Ik heb geen servetten,' zegt haar moeder verontschuldigend, voor iemand er wat van kan zeggen. 'We nemen wel een stukje keukenrol.'

Haar vader pakt een opschrijfblokje dat op de hoek van de tafel ligt.

'Ik haal morgen wel,' belooft hij.

Rosa blijft bij de tafel staan.

'Ga zitten!' zegt haar moeder, terwijl ze een afgescheurd velletje keukenrol bij Rosa's bord legt. 'Hoe was het op de manege?'

'Ik mocht niet longeren.'

'Waarom niet?' vraagt haar moeder.

'Wat is longeren?' vraagt haar vader.

'Géén idee!' zegt haar moeder.

'Laura was er.'

Haar moeder trekt een niet-begrijpend gezicht.

'Gea kon niet,' legt Rosa uit, 'dat zei ik toch vanmorgen? Daarom zou ik longeren. Maar haar zus was er ineens en toen mocht ik niet.'

'Nou, dan komt het toch wel weer een andere keer?' zegt haar moeder troostend.

'Eet nou maar!' raadt haar vader aan. 'Héérlijke boerenkool, Lydia!'

Rosa zegt niets meer. Met haar vork duwt ze de rookworst naar de rand van haar bord. Die gaat ze niet opeten.

Als ze haar ouders alles moest uitleggen, zou ze een jaar de tijd nodig hebben. En waarschijnlijk zouden ze na een minuut al niet meer luisteren.

De lange kerstvakantie

De kerstvakantie is begonnen. De school was al om twaalf uur uit. Iedereen liep opgewonden te kwetteren, te vertellen wat er allemaal voor leuks ging gebeuren. Veel kinderen gaan uit logeren of met vakantie.

Rosa loopt zo snel mogelijk naar de fietsenstalling. Bij haar thuis hebben ze niet eens een kerstboom. Bomen horen in het bos, vindt Rosa's moeder.

Rosa heeft afgesproken dat ze aan het eind van de middag thuiskomt.

'Ik ben er niet,' heeft haar moeder gezegd. 'Maar papa wel. Jullie mogen samen koken.'

Lusteloos fietst ze naar de manege. Misschien kan ze op stal helpen. Ze denkt aan Zefir en gaat sneller fietsen. Het is tien voor drie als ze aankomt. Op stal lopen een paar kinderen rond, die straks in de beginnersles zitten. Ze hebben hun cap al op en een zweepje in hun hand.

Tamara is er ook.

'Ha daar komt de hulp!' groet ze. 'Rosa, wil jij Caprilli klaarzetten? Er komt een jongetje dat nog maar heel weinig ervaring heeft. Die kan nog niets zelf.'

'Waar is hij?'

'Boven, met zijn vader. Ze komen zo. Ze moesten een passende cap vinden.'

In de kantine liggen caps die te huur zijn, voor wanneer iemand de zijne vergeten is of er nog geen heeft.

'Hoe heet hij?'

'Bertil. Hij is pas zeven en een beetje bang. Kijk, daar is hij al! Bertil, Rosa gaat jou laten zien hoe je opzadelt. Je vader mag ook kijken.'

Rosa loopt naar de rij waar Caprilli vaststaat, naast Quincy.

'Hoi!' groet ze. Voor jongere kinderen is ze niet verlegen.

Bertil kijkt naar de grond.

'Heb je al eerder gereden?' vraagt Rosa.

Hij knikt.

'Op wie?'

'Op die donkere pony.'

'Simba?' raadt Rosa.

'Ja.'

'Deze heet Caprilli. Hij is genoemd naar een meneer die belangrijke dingen van het paardrijden heeft uitgevonden. En er is een proefje dat zo heet, een gemakkelijk proefje,' legt Rosa uit. 'Heb je eigen poetsspullen?'

Bertil schudt zijn hoofd.

'Wat is een proefje?' vraagt hij zacht.

Rosa schiet in de lach.

'Dat je laat zien wat je kunt,' legt ze uit. 'Dan rij je in je eentje en krijg je een cijfer.'

'We gaan eerst maar eens kijken of hij het leuk blijft vinden,' zegt zijn vader, die op een afstandje staat te kijken, met zijn handen in de zakken van zijn winterjas.

'We gaan poetsen,' zegt Rosa. 'We gebruiken mijn spullen wel.'

Ze pakt haar tas die ze tegenover de stand heeft gezet en haalt er een hoevenkrabber uit.

'Kom maar naast me staan,' nodigt ze uit. 'Kijk hier, bij zijn schouder, dan kan hij niet bij je komen als hij zou willen trappen. Hij trapt niet, hoor!' zegt ze er snel bij. 'Caprilli is een heel lieve pony. Hij wil wel eens een beetje stout zijn als hij denkt dat je iets lekkers bij je hebt. Dan steekt hij zijn neus in je jaszak.'

Dat is precies wat Caprilli aan het doen is. Hij heeft allang geroken dat Rosa wortels bij zich heeft. Ze geeft een duwtje tegen zijn snuit.

‘Niet doen, Caprilli! Geef maar een voet.’
Caprilli laat zijn hoeven op de grond staan.
‘Voet!’ Ze laat haar hand langs zijn been glijden. Dat helpt. Nu tilt de pony zijn hoef op.
‘Kijk,’ zegt ze. ‘Zo kun je het vuil eruithalen. Je maakt een soort V. Nu jij.’

Bertil is niet erg sterk. Hij krabt maar wat, maar Rosa doet net of het goed is. Ze maken alle vier de hoeven schoon.
Bertils vader heeft al een paar keer gekucht en drentelt wat heen en weer.
‘Hé, Bert, ik ga effe koffiedrinken!’ zegt hij. ‘Jij redt je wel met die knappe jongedame.’ Zonder te wachten op een antwoord, draait hij zich om en loopt weg.
Bertil kijkt zijn vader na en zucht. Rosa stoot hem zachtjes aan.
‘We gaan roskammen,’ zegt ze.
Tegen de tijd dat de pony is opgezadeld, zijn de andere kinderen van de beginnersles er ook. De gang staat vol moeders, die allemaal helpen of in de weg lopen.
‘Axel?’ roept een moeder. ‘Je had beloofd dat Chantal op Caprilli mocht. Nu heeft ze Darwin. Die is toch veel te groot voor haar?’
Axel baant zich een weg door de stal.
‘Chantal kan best op Darwin,’ antwoordt hij in het voorbijgaan.
‘Ja maar…’ sputtert de moeder van Chantal. Maar Axel loopt door en maakt de deur naar de rijbaan open.
‘Komt u maar!’ roept hij.
Een voor een gaan de pony’s met hun begeleiders naar binnen.
Rosa loopt met Bertil mee en helpt hem opstijgen. Ze laat hem zien hoe hij de teugels moet vastpakken en brengt Caprilli naar de hoefslag, waar al twee pony’s rondstappen.

‘Je hoeft niet bang te zijn,’ zegt ze geruststellend. ‘Caprilli is superbraaf.’

Bertil probeert zijn angst te verbergen.

‘Ik ben niet bang,’ zegt hij.

Maar als Rosa de rijbaan uit loopt, heeft ze het gevoel dat ze hem in de steek laat. Zijn vader heeft zich niet meer laten zien.

Als ze door de stallen loopt, ziet ze Laura bij de box van Zefir staan. Ze lijkt wel een beetje op Gea. Ze heeft hetzelfde blonde haar, alleen draagt Laura het kort en heeft Gea een paardenstaart.

‘Hai!’ groet ze vaag.

Rosa is verbaasd. Vrijdag is Gea’s dag.

‘Is Gea er niet?’ vraagt ze.

‘Ze had niet zo’n zin. Ik ga straks in de buitenbak rijden.’

Rosa kijkt naar Laura’s kleren. Ze heeft een dikke trui aan en een lange jas die speciaal voor buitenritten is gemaakt. Ze kijkt op haar horloge.

‘Als jij er toch bent, kan ik net zo goed thee gaan drinken. Poets jij Zefir?’

Het komt even in Rosa op om te weigeren. Maar dan denkt ze aan de warme goudbruine huid van de pony en zegt ze: ‘Oké.’

Laura lacht.

‘Ruim je het kastje ook een beetje op? Het was gisteren een puinhoop.’

‘Gisteren?’ begint Rosa verontwaardigd. ‘Gea heeft het laatst gereden! Dat was woensdag!’

‘Jij of zij,’ zegt Laura onverschillig. ‘Een van jullie heeft er een troep van gemaakt.’ Ze lacht nog een keer. Dan draait ze zich om en loopt weg.

‘Ik rij om vijf uur!’ roept ze over haar schouder. ‘Trek de singel niet te strak aan en hang het hoofdstel maar klaar. Ik doe het zelf wel om.’

Vlak voor de beginnersles is afgelopen, is Rosa klaar met poetsen en gaat ze naar de kantine om door de ruit te kijken hoe het met Bertil is.

Zijn vader zit aan de bar met Laura te praten. Hij herkent Rosa niet en Laura doet net of ze haar niet ziet. Rosa zoekt Bertil in de rij pony's. Hij heeft rode wangen en doet zijn best Caprilli sneller te laten lopen. De pony trekt zich niks aan van zijn schoppende voeten en sukkelt kalm achter Darwin aan.

Axel heeft een lange zweep in zijn handen. In de beginnersles kunnen de pony's nog wel eens stout zijn en een dutje gaan doen in de hoek of op het midden van de rijbaan. Daar kunnen onervaren ruitertjes niks tegen doen.

Maar voor de lange zweep hebben de pony's respect. Als ze die zien, lopen ze braaf hun rondjes en luisteren ze naar de commando's van de instructeur.

Die laat de pony's schuin oversteken om van hand te veranderen. Dan mogen ze hun hals strekken en is de les afgelopen. Een beginnersles duurt maar een halfuur. Rosa kijkt naar Bertils vader. Die let helemaal niet op wat er achter de ruit gebeurt.

Ze kan beter zelf even naar beneden lopen om Caprilli op te vangen. Aan die vader heeft niemand iets.

'Ben je klaar met poetsen?' hoort ze de stem van Laura achter zich.

'Ja,' zegt Rosa. 'Ik zadel hem straks op.'

'En het kastje?'

Rosa geeft geen antwoord en gaat naar de stal.

Als ze langs de box van Zefir loopt, blijft ze even staan. De pony legt meteen zijn oren plat.

'Ik zou ook zuur worden als ik zulke bazinnetjes had,' fluistert ze tegen hem.

Dan gaat ze Caprilli ophalen.

Waarom doe je het nog, Rosa?

'Ik heb witlof gekocht,' zegt haar vader als Rosa de flat binnenkomt. 'Witlof en kaas. Vegetarisch voor jou en voor mij een biefstuk.'

'Wat lief!' Rosa loopt naar hem toe en geeft hem een zoen. Haar vader maakt haar haren in de war.

'Waar kom je nu vandaan? O, ik ruik het al. Ga maar gauw even douchen, dan maak ik het eten.'

Een halfuurtje later zitten ze samen aan de keukentafel.

'Was het altijd maar zo,' zucht Rosa tevreden.

'Zonder mama?' plaagt haar vader.

Rosa bloost.

'Nee, natuurlijk niet. *Mét* jou. Of *mét* mama.'

'Of allebei,' vult haar vader aan.

Rosa steekt haar tong uit.

'Néé! Want dan gaan jullie met elkaar praten en niet met mij.'

Haar vader schiet in de lach.

'Zijn we zo erg?'

Rosa knikt ernstig. Haar vader schept witlof met kaas op haar bord.

'Was het leuk bij de pony's?'

Rosa trekt een rimpel in haar neus. Zou hij echt willen weten hoe het afliep tussen haar en Laura? Ze ziet hoe hij aandachtig zijn biefstuk aan het snijden is en genietend een groot stuk aan zijn vork prikt.

'Ha! Wat kook ik toch lekker!' zegt hij met volle mond.

'Het was leuk. Ik heb op stal geholpen.'

'Goed zo,' knikt haar vader. 'Ik heb morgen wat dingen te

doen en ik geloof dat mama voor haar werk weg moet. Ga je naar de manege? Of ga je iets leuks doen met een vriendin?'

'Nee,' zegt Rosa mat.

Haar vader fronst zijn wenkbrauwen en trommelt met zijn vingers op de tafel.

'Kun je een extra paardrijles nemen?' vraagt hij.

Rosa klaart helemaal op.

'Dat kan vast wel!' zegt ze blij. 'Dankjewel, pap!'

Haar vader glimlacht tevreden.

'Geniet er maar van, kind.'

Als Rosa 's avonds in bed ligt, denkt ze aan Zefir.

Terwijl ze hem aan het poetsen was, stond hij heel rustig aan zijn stro te knabbelen. Toen ze hem opzadelde, legde hij even zijn oren plat, maar dat was meer uit gewoonte dan dat hij echt een slecht humeur kreeg. Toen kwam Laura aangelopen.

'Heb je het hoofdstel nog niet gepakt?' vroeg ze meteen.

'Jawel, het hangt hier.' Rosa wees naar de waterbak. Daar had ze het zolang opgehangen.

'Dat moet je niet doen. Als hij ermee gaat spelen, is het meteen kapot.'

Laura kwam de box binnen en pakte het hoofdstel met één hand, terwijl ze met de andere voelde hoe strak de singel zat.

'Kijk, ik doe het altijd zo,' zei ze. 'Ik doe eerst het hoofdstel om en dan singel ik pas strak aan.'

Rosa gaf geen antwoord. Laura deed net of ze goede raad gaf, maar eigenlijk vindt ze nooit iets goed. Ze had niet eens naar het opgeruimde kastje gekeken.

'Ach, ik ben de zweep vergeten. Haal jij die nog even?'

Ik had nee moeten zeggen, denkt Rosa, maar als ik ruzie maak, mag ik misschien nooit meer op Zefir rijden. En zo erg is het niet om even een zweep te pakken.

Toch is er iets verkeerd. Het lijkt wel of Laura en Gea steeds onaardiger worden, ook al doet Rosa nog zo haar best.

Ze wrijft in haar ogen en gaapt. Ze is moe, maar ze kan niet slapen.

'Ik wil aan iets leuks denken,' zegt ze hardop. 'Wat is leuk?'

Dat ze morgen een extra les mag opmaken, is leuk. Ze probeert te verzinnen op wie ze het liefst wil rijden: op Tiptop? Op Quincy? Mirke? Een voor een ziet ze de pony's in gedachten voor zich. Maar het allerliefst zou ze op Zefir willen.

'Maandag op Zefir,' spreekt ze zichzelf streng toe. 'En ik kijk wel welke pony er overschiet op wie ik in de les mag rijden. Ik vind ze allemaal even lief.'

Een extra les

Het heeft 's nachts een beetje gevroren. De lucht voelt koud in haar keel, terwijl ze naar de manege fietst. Ze was vroeg op. Haar ouders sliepen allebei nog, toen ze onder de douche ging. Ze heeft zelf thee gezet en boterhammen gemaakt. Net voor ze de deur uit wilde gaan, belde Gea op.

'Je kunt op Zefir,' zei ze. Het klonk niet aardig.

'O?' zei Rosa voorzichtig.

'We gaan naar kennissen,' zei Gea. 'Vergeet niet het kastje op te ruimen. Laura zei dat het een enorme rotzooi was.'

'Ik heb het gisteren opgeruimd!'

'Nou, je hoeft niet zo kattig te doen! Ik vind het niet meer dan normaal dat je de boel netjes houdt.'

Rosa ontplofte zowat van woede maar ze zei niks. Tenminste niet tegen Gea. Toen ze had opgehangen, belde oma.

'Ik hoor dat jullie zondag komen.'

'Ja.'

'Neem je je rapport mee?'

'Goed.'

'Is er iets?'

Rosa wist niet dat ze zoveel kon praten. Ineens vertelde ze achter elkaar hoe gemeen die twee zussen zijn, hoe vals het is om net te doen of Rosa het is die alles kwijtmaakt en laat slingeren. Dat ze nooit zeker kan zijn of ze rustig kan rijden, dat die meiden zich totaal niet aan hun afspraken houden en dat ze er zó ellendig van wordt. Terwijl ze vertelde, liepen er tranen over haar wangen van boosheid.

'Waarom schei je er niet mee uit?' vroeg oma.

‘Hè?’

‘Zeg dat je het niet meer doet. Dat ze hun eigen pony mogen verzorgen, van hun eigen kastje een vuilnisbak mogen maken en dat jij liever op gewone pony’s rijdt.’ Oma klonk fel, alsof het háár allemaal was aangedaan.

Rosa kon niets terugzeggen.

‘Nou?’ vroeg oma.

‘Ik kan het niet,’ fluisterde Rosa. ‘Ik hou te veel van Zefir.’

Even was het aan beide kanten stil. Toen zei oma: ‘Ik geloof dat ik het wel begrijp. Als je op de manege ruzie krijgt, heb je helemaal niks meer.’

Het was wel iets anders dan wat Rosa bedoelde, maar het klopte ook op de een of andere manier weer wel.

In ieder geval was ze blij dat oma niet doorging over flink doen en je niet op je kop laten zitten.

‘Wat ga je vandaag doen?’

‘Ik mag een extra les van papa.’

‘Op een gewone pony? Of op die van die meisjes?’

Op dat moment bedacht Rosa dat ze haar extra les op een manegepony kon nemen en met Zefir vrij kon rijden in de buitenbak. De verdrietige bui was meteen voorbij.

‘Ik doe ze allebei!’

‘Wat bedoel je?’

‘Ik rij vandaag twee keer!’

‘Zie je nou? Gebeurt er vandaag toch nog wat leuks.’

‘Ja!’

‘En zondag maken we het ook gezellig. Ik heb misschien wel een verrassing.’

Toen Rosa had opgehangen, was haar moeder de kamer binnengekomen.

‘Wie heb je allemaal aan de telefoon?’ vroeg ze.

‘Gea en oma.’

‘Wat heb je afgesproken?’

‘Ik ga straks rijden. En oma heeft een verrassing voor me.’

Haar moeder was aan iets anders aan het denken. Ze bladerde in een tijdschrift en luisterde niet.

'Zijn jullie vanavond thuis?' vroeg Rosa.

'Ik denk het wel. Hoe laat ben jij terug?'

'Zeven uur?'

'Halfzeven. We gaan dvd's kijken,' bedacht haar moeder, terwijl ze het tijdschrift van zich af duwde. 'En ik bak pannenkoeken.'

Rosa zingt zachtjes terwijl ze haar fiets op slot zet en de manege binnenloopt. Het wordt een feestdag. Wie had dat een uur geleden kunnen denken.

'Ha, daar is mijn assistente,' groet Tamara als ze Rosa bij de trap naar de kantine tegenkomt. 'Jij kunt ook wel grote paarden opzadelen, hè?'

Ze wacht het antwoord niet af: 'King moet gepoetst en gezadeld worden voor een mevrouw die het niet zelf kan. Ze zit boven.' Tamara wijst met haar duim in de richting van de kantine.

'Neem haar maar mee. Dan ziet ze meteen hoe het moet. Het is die kleine mevrouw met dat korte donkere haar en die kaplaarzen.'

Rosa loopt de kantine in en laat haar ogen langs de mensen aan de bar glijden. Ze herkent de vrouw die ze al eerder op King heeft zien rijden en ook de twee dames die toen allerlei lelijke dingen over hun vriendin zeiden.

'Mevrouw,' begint Rosa aarzelend als ze achter haar staat. De vrouw draait zich om.

'Zal ik u helpen met opzadelen?'

De twee dames giechelen.

'Dat is wel een heel jonge stalhulp, Annet.'

Rosa krijgt een kleur maar ze zegt niets. Ze kijkt naar de benen van Annet. Ze heeft nu een rijbroek aan, maar ze draagt nog steeds kaplaarzen.

'Tamara zei, dat u misschien wilt kijken hoe het moet.'

‘Goed hoor, kind,’ zegt Annet. ‘Jullie zijn monsters.’ Dat laatste is tegen haar vriendinnen. Ze steekt haar tong uit en gaat met Rosa mee.

‘Zo, laat jij mij maar eens zien hoe je een paard opzadelt,’ zegt Annet vriendelijk.

Samen lopen ze naar de plek waar King staat, tussen de andere manegepaarden op de stand.

‘Durf jij zomaar naar hem toe te lopen?’ griezelt Annet.

‘De pony’s, eh, de paarden zijn het gewend,’ zegt Rosa. Eigenlijk weet ze ook niet zeker of ze allemaal te vertrouwen zijn. Ze gaat er maar van uit dat de paarden naast King niet raar gaan doen, terwijl ze met hem bezig is.

‘We moeten even poetsspullen uit de zadelkamer halen,’ zegt Rosa verlegen. ‘En het zadel en hoofdstel.’

Samen met Annet poetst en zadelt ze King. Annet is aardig. Ze lacht Rosa niet uit als ze laat zien hoe je hoeven uitkrabt en het zadel netjes neerlegt. Ze doet net of Rosa ook volwassen is.

‘Jij weet meer van paarden dan ik,’ zegt ze. ‘Maar ik weet weer meer van eten koken dan jij.’

Rosa kijkt haar vragend aan, terwijl ze de keelriem van het hoofdstel dichtgespt.

‘Ik sta in de keuken van een eetcafé,’ legt Annet uit. ‘Kun jij al een beetje koken?’

‘Ik moet soms een pizza warm maken,’ zegt Rosa.

Annet schiet in de lach.

‘Dat is geen koken. Ik leer jou misschien ook nog eens iets. Als je het leuk vindt om een keer te komen kijken. Heb je vakantie?’

Rosa knikt.

‘Mijn dochter ook,’ zegt Annet. ‘Zij rijdt vanmiddag. En mijn vriendinnen hebben hier een eigen paard staan. Ze vonden allemaal dat ik het ook maar eens moest leren, omdat zij het zelf zo geweldig vinden. Dan kunnen we samen eens een buitenrit maken. En ik vind het inderdaad wel leuk, paardrijden.'

'Wie is uw dochter?' vraagt Rosa.

'Zeg maar jij hoor! Ik heet Annet. Mijn dochter heet Donna.'

'O, die ken ik wel! Zij rijdt in dezelfde les als ik.'

'Hoe heet jij?'

'Rosa.'

'Ben jij dat meisje dat soms op die mooie pony rijdt?'

Rosa knikt.

'Donna had het daarover. Zij wilde wel invalster worden voor die twee zusjes. Maar laatst zei ze dat ze blij was dat het niet is doorgegaan. Die meisjes zijn niet zo gemakkelijk hè?'

Rosa draait zich half van Annet af en friemelt aan de riempjes van Kings hoofdstel. Denkt de hele manege dat zij zich laat gebruiken?

'Mijn privéles begint,' zegt Annet op een heel gewone toon. 'Loop je nog even mee? Ik ben een beetje bang om alleen met zo'n groot paard te lopen.'

'Ik help u ook opstijgen,' biedt Rosa blij aan. Annet is aardig.

Als ze klaar is met helpen en teruggaat naar de stal, komt ze Donna tegen.

'De Tantes zeiden dat jij mijn moeder hebt geholpen,' zegt ze. 'Dankjewel! Ik was veel te laat.'

'De Tantes?'

'Zo noem ik die vriendinnen van mijn moeder. Ze zijn érg!'

Rosa schiet in de lach.

'Nee, écht wel! De dingen die ze zeggen over iedereen!'

'Dat doen ze allemaal als ze aan de andere kant van het raam zitten,' zegt Rosa. 'De een heeft zijn handen te hoog of te laag of te strak, of ze vinden dat een paard kreupel is of iemand drijft niet genoeg.'

‘Of te veel,’ vult Donna aan. ‘Ga je mee naar de kantine? Dan kunnen we mijn moeder zien. De tribune is veel te koud.’

Bijna niemand zit ooit op de tribune. Je kunt er wel goed zien, maar niet zo fijn roddelen.

‘Weet je wat de Tantes over jou zeggen?’ vertelt Donna.

Rosa krijgt een kleur.

‘Dat ze het zo zielig voor je vinden dat je voor die twee zussen rijdt. Ze hebben alles in de gaten. Grappig hè?’

Rosa vindt het helemaal niet grappig.

‘Op wie hoop jij dat je rijdt, vanmiddag?’ vraagt ze om Donna af te leiden.

‘Ik zou Tiptop wel willen. En jij?’

‘Tiptop is leuk. Maar Quincy is goed. Of Mirke.’

‘Ik vind alles best, als ik Dorrit maar niet heb,’ rilt Donna.

‘Sem krijgt Dorrit bijna altijd in onze les.’

‘Hij vindt het leuk als ze gek doet.’

Rosa glimlacht. ‘Hij zegt dat hij springruiter wil worden.’

‘Bokken is toch geen springen!’

‘Ik durf niet op Dorrit,’ zegt Rosa. ‘En eigenlijk durf ik ook nog niet zo goed te springen.’

‘Hè, gelukkig eindelijk iemand die het ook eng vindt,’ zucht Donna.

Rosa lacht. Donna is aardig.

In de kantine gaan ze vlak bij het raam zitten. Annet kan nu lichtrijden. Het ziet er nog een beetje onhandig uit, maar ze veert toch min of meer in het ritme mee.

‘Goed dat ze een rijbroek heeft gekocht,’ zegt Rosa.

‘Ze gaat ook laarzen kopen.’

‘Beter,’ knikt Rosa.

‘Wil je wat drinken?’ biedt Donna aan. ‘Ik mocht wat bestellen.’

‘Nee,’ zegt Rosa. ‘Ik ga straks in de buitenbak rijden.’

Donna kijkt haar vragend aan.

‘Ik mag ook nog op Zefir.’

‘Dat is toch wel fijn,’ zegt Donna nadenkend. ‘Aan de ene kant begrijp ik niet dat je je zo door die trutten laat afkatten. Maar Zefir is een fantastische pony. Al bijt hij.’

‘Hij bijt niet,’ zegt Rosa. ‘Hij dreigt alleen. Hij is bang van harde stemmen.’

Als Rosa naar de stal gaat om Zefir op te zadelen, botst ze bijna tegen Tamara aan die op haar lijstje staat te turen. Zij deelt alle ruiters in.

‘Moet jij je verzorgpony nog beweging geven?’ vraagt ze aan Rosa.

‘Ik wou kijken of de buitenbak niet te nat is.’

‘Rij maar in de volgende les mee,’ zegt Tamara. ‘Het is niet zo druk. Veel mensen zijn met vakantie.’

‘Zijn dat allemaal gevorderden?’ vraagt Rosa bang.

‘Maak je geen zorgen,’ zegt Tamara. ‘In deze groep zitten veel eigen-paardenmensen. Ze rijden nogal zelfstandig, maar daar kun jij gemakkelijk in meekomen.’

Rosa is zo blij dat ze vergeet tegen Zefir te fluisteren.

‘Zefir!’ roept ze hem tegemoet. De pony hapt nijdig in de richting van de boxdeur.

‘O ja,’ glimlacht Rosa en noemt zachtjes zijn naam: ‘Zefir is bráááf.’

Wantrouwig steekt Zefir zijn neus naar voren.

‘Kijk,’ zegt Rosa, ‘ik heb een wortel voor je.’

Ze komt de box in en geeft de pony een stukje wortel. Hij gaat onmiddellijk op zoek of ze nog meer heeft.

‘Straks,’ zegt Rosa, ‘als ik moet aansingelen.’

Als ze de rijbaan in komt met Zefir, zijn de andere vijf ruiters die meerijden al binnen.

Rosa schuift de stijgbeugels naar beneden en voelt of de singel strakker moet. Dan stijgt ze op en gaat in stap.

Axel komt binnen.

‘Nou dat is een mooi klein groepje,’ zegt hij. ‘Zo kan ik goed op iedereen letten. We beginnen met de paarden los te werken.’

In deze les zijn de regels minder streng. Manegeruiters mogen niet zelfstandig hun gang gaan. Maar de meeste eigenaren van paarden en pony's weten zelf wel hoe ze hun paard het beste kunnen loswerken.

Rosa besluit voltes te gaan rijden.

'Goed zo!' prijst Axel. 'Zo maak je je pony soepel. Laat hem maar lekker op zijn eigen benen lopen, net of je op de fiets zit en je hebt de wind mee. Zo moet het voelen.'

Zefir briest tevreden.

'Dat is muziek!' lacht Axel. 'We gaan onze paarden in de hand stellen. Teugels op maat, van hand veranderen bij de letter M en bij aankomst op de hoefslag overgaan in een pittige stap.'

Zefir stapt vlot voorwaarts. Rosa weet dat hij soms gek kan doen, aan het begin van de les, als hij fris is. Hij bokt ook als hij boos is. Ze heeft vaak gezien dat Gea hem een tik met de zweep gaf en dat hij dan zijn achterbenen in de lucht gooide. Of dat ze onduidelijke aanwijzingen gaf en hij ineens aan het rennen sloeg. Bij Laura gebeurt dat niet omdat ze veel beter rijdt.

Rosa was de eerste weken doodsbang dat hij bij haar ook zou bokken. Maar tot nu toe heeft hij geen stap verkeerd gezet.

'We maken drie voltes achter elkaar, één bij C, één bij B en één bij A. Dan veranderen we over de diagonaal van hand en maken we opnieuw drie voltes.'

Toen Rosa nog maar net op de manege was, dacht ze dat ze die geheimtaal nooit zou leren. Inmiddels weet ze dat de diagonaal de denkbeeldige schuine lijn is, die tussen de M en de K loopt of tussen de F en de H. Een volte is gewoon een cirkel. De volgorde van de letters kon ze eerst ook niet onthouden. Nu weet ze, zonder te kijken, waar ze liggen.

Als de groep de figuren heeft gereden, commandeert Axel de galop en dan nemen ze even pauze.

'Teugels door je handen laten glijden tot je nog alleen een heel licht contact hebt en vlot laten dóórstappen!'

Het uur gaat zo snel, dat Rosa verbaasd is als het volgende deel van de les ook alweer voorbij is. Ze is nog helemaal niet moe.

Donna komt naar de box van Zefir, terwijl Rosa bezig is met afzadelen.

'Mijn moeder vroeg of je misschien boven wat wilt komen drinken.'

Rosa kijkt verbaasd op.

'Omdat je haar zo goed hebt geholpen,' legt Donna uit. 'En we vinden het gezellig.'

'Oh, nou graag,' zegt Rosa verlegen. 'Ik moet eerst opruimen.'

'Ik help wel.'

Donna pakt het hoofdstel en loopt voor Rosa uit naar de emmer water, waar sponsjes in drijven. Ze hurkt neer en maakt het bit schoon. Rosa ruimt het zadel op en legt de poetsspullen netjes in de plastic doos. Als Donna haar het hoofdstel aanreikt, wrijft ze het leer van de neusriem en de teugels op met zadelzeep.

'Wat ben jij netjes!' lacht Donna.

Rosa trekt een rimpel in haar neus. Zal ze aan Donna vertellen dat Gea en Laura altijd net doen of Rosa de rotzooi maakt en zijzelf niet? Maar ze doet het toch maar niet. Ze vindt Donna aardig, maar ze kent haar niet goed. Straks brieft ze alles wat Rosa vertelt door! Dan is het wel héél gauw afgelopen met Zefir. Dat wil Rosa beslist niet.

Voor ze het kastje op slot doet, kijkt ze of alles erin ligt. Ze loopt ook nog even langs Zefir om hem een stukje wortel en een aai te geven.

'Superpony,' fluistert ze tegen hem. Dan gaat ze met Donna mee naar boven.

‘Kind, wat rij jij goed!’ zegt Annet, als Rosa en Donna bij haar aan een tafeltje komen zitten.

Rosa bloost.

‘Nee hoor,’ zegt ze. ‘Ik zit nog maar bij de halfgevorderden.’

‘Dat is alleen omdat het beter uitkomt met de tijd,’ protesteert Donna. ‘Onze groep is echt niet slechter dan de gevorderden.’

‘Gaat u later in de volwassenengroep?’ vraagt Rosa. ‘Met die... eh, mevrouwen?’

‘De Tantes?’ lacht Annet. ‘Ze zijn net vertrokken. Ik ga inderdaad bij hen in de groep. Maar ze willen me niet hebben zolang ik nog met kaplaarzen rijd.’ Rosa kijkt naar de laarzen.

‘Rijlaarzen zitten lekkerder,’ zegt ze. ‘En die van rubber zijn niet zo duur.’

‘O, dat kan mijn moeder niks schelen,’ zegt Donna. ‘Ze wilde alleen zeker zijn dat ze paardrijden leuk vindt, voor ze leren laarzen koopt.’

‘Donna!’ zegt Annet bestraffend. ‘Niet raar over geld praten. Ga je straks nog in de les rijden, Roos?’

‘Ja,’ zegt Rosa. ‘Ik ga zo kijken wie we hebben.’

‘Wacht, je krijgt eerst wat te drinken. Wil je cola? Appelsap? Chocomel?’

‘Appelsap, alstublieft.’

‘En ik cola,’ zegt Donna, ‘en chips.’

‘Geen chips,’ zegt Annet. Ze staat op om de bestelling te halen.

Dan komt ze aan het tafeltje bij het raam zitten. Met zijn drieën kijken ze naar de les die aan de gang is.

‘Axel werkt wel hard,’ zegt Annet.

‘Hij moet wel!’ lacht Donna. ‘Hij en Tamara hebben de manege pas een jaar geleden overgenomen van de vorige eigenaar. Ze zijn met elkaar.’

De deur van de kantine gaat open. Rosa draait zich om.
'Daar is Tamara!'
Donna springt meteen op om te kijken wie ze heeft. Rosa aarzelt even. Is het niet onbeleefd om weg te lopen?
'Ga maar,' knikt Annet.
Donna staat al bij het bord.
'Je hebt Caprilli. En ik heb Tiptop. Leuk!'
Donna geeft Rosa een opgetogen duw.
'Zullen we naar de stal gaan?'
'Goed,' zegt Rosa. En vanaf dat moment is het net of Donna en zij altijd vriendinnen zijn geweest.

Vriendinnen

'Rosa, je eet niks!'

Rosa kijkt van haar bord naar het ongeruste gezicht van haar moeder. Op het bord ligt een grote pannenkoek met één hoekje eruit. Dat zit nog in Rosa's mond en ze heeft de grootste moeite om het weg te slikken.

'Ben je ziek? Je hebt een kleur,' zegt haar moeder.

'Ik ben niet ziek.'

Haar vader voelt aan haar voorhoofd.

'Niet ziek,' stelt hij vast.

'Wat heb je dan? Is er iets niet in orde? Was het niet leuk op de manege?'

Tot Rosa's verbazing wellen er tranen op.

'Wat is er?' Haar moeder loopt om de tafel heen en trekt haar naar zich toe. Haar vader legt zijn hand op haar schouder.

'Kindje toch!'

'Wat wil je, wil je naar bed?'

'Jaaa!' snikt Rosa.

'Ik bewaar je pannenkoek wel,' zegt haar moeder. 'Misschien voel je je straks beter.' Ze voelt ook aan Rosa's voorhoofd en wangen.

'Je hebt geen verhoging. Weet je wat? Ga maar even in bad. Daar knap je van op. Misschien ben je gewoon te moe. Heb je de hele dag op de manege gezeten? Heb je te hard gewerkt?'

'Ze heeft twee keer gereden,' herinnert haar vader zich.

'Dat is te véél!' zegt haar moeder. 'Ga maar in bad en dan kijken we wel of je straks zin hebt in een dvd.'

Rosa veegt haar ogen af en staat met een zucht op van

tafel. Haar maag doet pijn. Ze gaat naar de badkamer en laat het water in de badkuip stromen. Zodra ze in bad zit, trekt het nare gevoel weg. Ze is niet ziek, ze is gewoon te vol. Er is zoveel gebeurd!

Ze weet niet hoe ze het zichzelf moet uitleggen, hoe ze onder woorden moet brengen hoe het voelde. Het is net of ze heel lang in een leeg huis heeft gewoond en dat er ineens allerlei meubels in de kamer zijn neergezet en dat er een schemerlampje is aangeklikt. Alles wat grijs was, is plotseling gekleurd.

De les begon zoals alle paardrijlessen beginnen: Axel had oefeningen gedaan met tempowisselingen. Eerst moesten ze in stap, toen in draf, toen stilstaan. Daarna deden ze het opnieuw maar nu netjes op de letter, na elk half rondje. Toen bij elke tweede letter en ten slotte alle gangen door elkaar: stilstaan, dan draf, dan weer stilstaan, stap, draf, stap, stilstaan, draf, stilstaan, draf, stap.

Het was erg moeilijk, vooral op Caprilli, die maar het liefst helemaal bleef stilstaan. Caprilli wordt veel gebruikt voor beginners. Als je hem niet af en toe een zwiep met je zweep geeft, gaat hij lopen suffen. Rosa houdt niet van slaan, maar het was nu toch echt nodig.

'Geef hem maar een ouderwetse hollewipper!' riep Axel.

Rosa had Caprilli één tik achter de singel gegeven. Het hielp nog ook.

Toen moesten ze van twee kanten tegelijk van hand veranderen en daar gebeurde het ineens.

Rosa kwam van de ene kant en Donna van de andere. Bij de X keken ze elkaar aan en tegelijk lachten ze naar elkaar.

Vriendinnen.

Rosa heeft dat nog nooit meegemaakt. Ze is gewend dat andere kinderen langs haar heen leven. Ze heeft nooit echt ruzie, ze wordt niet gepest, maar op school wordt ze met rust gelaten en op de manege valt ze niet op.

Nu heeft ze een vriendin, en wat voor een! Donna is vrolijk, grappig en ze ziet er leuk uit met haar donkere piekhaar en haar ronde wangen.

Toen de les was afgelopen en de pony's aan de lange teugel mochten uitstappen, kwam ze naast Rosa rijden.

'Hij is best moeilijk, Tiptop,' zei ze. 'Hij ging steeds sneller en hij luisterde meer naar Axel dan naar mij.'

'Dat doen alle pony's.'

'Manegepony's.'

'Zefir doet het ook. Als er iemand in het midden staat, let hij op die persoon. Alleen als je hem in je eentje rijdt, zonder groep, is hij anders. Dan is hij op z'n best.'

'Mag je wel eens vrij rijden met hem?'

'Een héél enkele keer, op zondag. Maar eigenlijk willen ze het liever niet. Ze zijn bang dat ik hem dan verpest.'

'Ze verpesten hem zelf! Hij is op stal hartstikke zuur.'

'Ja.'

Die Gea is een trut.'

'Laura is nog erger,' zei Rosa en toen keken ze elkaar aan en schoten in de lach. Rosa heeft nog nooit geroddeld met een ander meisje.

Ze laat zich dieper in het water zakken en doet haar ogen dicht.

Ik zou wel de hele dag willen roddelen, denkt ze.

De deur van de badkamer gaat open en haar moeder komt binnen.

'Gaat het al beter?' vraagt ze.

Rosa knikt.

'Ik heb een leuke vriendin,' zegt ze. 'Ze heet Donna. Ze rijdt bij ons op de manege en haar moeder ook.'

'Zo, dat is mooi,' zegt haar moeder en gaat op de rand van het bad zitten. 'Heb je zin om straks naar een film te kijken? Ik heb een natuurfilm over rendieren geleend en een spannende film over een juwelenroof.'

'Ik wil wel rendieren,' zegt Rosa.

'Daar was ik al bang voor,' lacht haar moeder. 'Dan kijken we eerst naar de natuurfilm en als jij naar bed bent, zetten papa en ik die andere nog wel op.'

'Die wil ik ook wel zien,' zegt Rosa gauw.

'Niks ervan. Je bent hartstikke moe. Twee uur paardrijden is veel te veel.'

Oma's verrassing

'Neem nog een koekje,' zegt oma. Ze zit naast Rosa op de bank en houdt haar een trommel vol speculaasjes voor.

Maar Rosa heeft er al vier op. Ze heeft genoeg. Ze steekt haar hand uit naar de kerstboom die naast de bank staat en haalt voorzichtig een trompetje uit de takken. Het is al oud. Het hangt er ieder jaar. Oma heeft altijd een kerstboom. Bij Rosa thuis hebben ze er nooit een. Rosa's moeder vindt zo'n opgetuigde plant 'helemaal drie keer niks'.

'Wij vieren Sinterklaas,' zegt ze altijd. 'Dat is veel gezelliger. En als je een boom wilt zien, ga je maar naar oma.'

Dat doet Rosa dus ook ieder jaar. Ze gaat mee om er één uit te zoeken en ze mag altijd helpen met optuigen. Vroeger mocht ze niet aan het trompetje komen omdat het zo breekbaar is. Maar sinds vorig jaar mag het wel. Ze blaast er zachtjes op. Het geeft een hoog helder geluidje. Dan hangt ze het terug.

'Wil jij nog koffie, Nico?'

'Nee, ma, ik heb al twee koppen op. Het is welletjes.'

Het is raar om haar vader ma te horen zeggen. Rosa's eigen moeder noemt zich mama. Nooit ma. Misschien ligt het aan het soort moeder of ze ma, mama of mam heten. Oma lijkt niet op Rosa's moeder. Ze is een echte oma. Ze zit nooit achter een computer, ze heeft altijd koekjes in huis en ze vult kruiswoordpuzzels in. Dat is echt iets voor oma's. Oma heeft ook geen baan.

'Oma, heb jij een beroep?' vraagt Rosa plotseling.

'Kind wat vraag je me nou?' Rosa schrikt. Was het zo'n gekke vraag?

Haar vader buldert van de lach.

'Ik bedoel...' hakkelt Rosa, 'of je vroeger iets bent geworden?'

Oma slaat haar arm om Rosa heen en knuffelt haar.

'Ik zat op de huishoudschool. Die had je toen nog. Ik wist na die school niet wat ik wilde worden. Ik heb toen een paar maanden in een bloemenwinkel gewerkt, want daar zochten ze iemand. Daar heb ik opa ontmoet. Hij kwam bloemen kopen voor zijn moeder.'

Rosa heeft opa nooit gekend. Hij was al twee jaar dood toen zij werd geboren.

'Toen we getrouwd waren, heb ik nog een poosje gewerkt, maar ik kreeg al gauw drie jongens en voor hen wilde ik thuis blijven.'

'Zullen we even gaan wandelen?' stelt Rosa's vader voor. Rosa weet wel waarom. Straks gaat het weer over moeders die thuis horen te zijn voor hun kinderen.

'Nee hoor,' zegt oma. 'Het is veel te koud. Hebben jullie eigenlijk verwarming in die manege van je?'

Rosa lacht.

'Welnee, oma, dat is nergens voor nodig. In de kantine is een kachel, maar op stal wordt het vanzelf warm door al die paardenlijven. En paarden houden van kou.'

'Waar ze maar lol in hebben,' rilt oma.

'Ze hebben wel een deken op, maar dat is om te zorgen dat hun vacht niet dik wordt.'

'Waar is dat goed voor?' vraagt haar vader. 'Een vacht is toch beter dan een deken?' Rosa kijkt hem onderzoekend aan. Het gebeurt bijna nooit dat volwassenen iets willen weten. En over paarden wil bijna niemand iets weten, vooral haar ouders niet.

'Als ze lange haren hebben, worden ze niet droog als ze zweten. Dan vatten ze kou,' legt ze uit.

'Wat weet jij er veel van!' prijst oma.

Rosa wil nog veel meer vertellen: dat sommige paarden

toch haar krijgen en dan geschoren moeten worden. Dat Zefir de stal zowat afbrak toen hij aan de beurt was, drie weken geleden. Hij moest zelfs een praam op, een prááм, zo'n touwtje dat om de lip wordt gebonden.

Axel zei dat het maar heel even pijn deed, maar Rosa vond het zielig voor Zefir. Gea was er ook bij toen het gebeurde, maar zij kon er niet tegen. Ze was keihard gaan huilen en naar de kantine gerend. Axel had Rosa erbij gehaald. Zij bleef bij Zefir en hield het touwtje strak terwijl Axel hem zo snel mogelijk schoor.

Later zei Gea tegen andere mensen dat Tamara had geholpen en niet Rosa. Dat hoorde Rosa dan weer via andere kinderen.

Terwijl ze over Gea zit te denken, is ze helemaal afgedwaald. Oma zit intussen met haar vader te praten over zijn werk.

'Nieuwe richtlijnen,' vangt Rosa op. Ongeduldig schuift ze heen en weer op de bank. Oma heeft het nog helemaal niet over de verrassing gehad. Ze heeft meteen toen ze binnenkwam haar rapport laten zien. Oma keek er aandachtig naar en legde het toen op de salontafel. Verder zei ze er niets over.

'Verveel je je, lieverd?' vraagt oma.

Rosa schudt haar hoofd. Onopvallend kijkt ze naar het rapport. Oma volgt haar blik.

'Ach warempel!' roept ze. 'Jij hebt nog iets van mij tegoed.' Ze staat op, loopt naar het ouderwetse buffet en trekt een la open. Ze haalt er een pakje uit en geeft het aan Rosa.

Rosa's vader kijkt verbaasd.

'Voor mijn rapport,' zegt Rosa blij.

'Daar hoef je toch niet voor betaald te worden?'

'Nee...'

'Ach, doe niet zo flauw, Nico!'

Het cadeautje zit in lichtblauw papier verpakt. Ze scheurt de verpakking voorzichtig open. Er komt een donkerblauw doosje uit. Rosa maakt het dekseltje open en daar ligt, op lichtblauwe watten, een prachtig zilveren kettinkje met een zilveren paardje eraan.

'Wat mooi!' fluistert Rosa.

'Vind je het leuk? Dat hoopte ik al.'

'Veel te mooi,' zegt haar vader hoofdschuddend. 'Ma, je verwent haar. Straks wordt ze nog onuitstaanbaar. Zo'n kind-alleen dat almaar spullen krijgt.'

'Nou, dan krijgt ze tenminste íéts!' zegt oma kattig.

Rosa's vader zwijgt even. Dan haalt hij zijn schouders op en staat op.

'We moeten naar huis,' zegt hij. 'Lydia heeft wel weer lang genoeg gewerkt.'

'Zo is dat,' zegt oma.

Rosa doet het kettinkje om haar hals.

'Heb je een spiegel, oma?' vraagt ze opgetogen.

'In de gang, dat weet je toch?'

Terwijl haar vader de jassen van de kapstok pakt, kijkt Rosa naar zichzelf in de spiegel. Ze ziet een slank meisje met donkerblond haar, grote groene ogen en kleine witte tanden. Het paardje hangt in het kuiltje onder haar hals.

Dan verschijnt oma achter haar.

'Het is prachtig, oma.'

'Fijn dat je het mooi vindt, lieverd.'

'Papa, kijk!' Rosa draait zich om naar haar vader.

'Heel mooi,' zegt hij. 'Geef oma maar een dikke kus.' Zelf zoent hij oma vluchtig op haar wang.

'Het is lief van je, ma. Dankjewel.'

Rosa zoent oma ook.

'Het is precies Zefir,' zegt ze.

'Zefir?' zegt oma met opgetrokken wenkbrauwen.

Ze kan ook niet alles weten.

Een vreselijk avontuur

'Je vriendinnetje heeft gebeld,' zegt Rosa's moeder.

Rosa's ogen beginnen te stralen. 'Echt waar?'

'Hier is het nummer.'

Rosa pakt de telefoon en toetst de cijfers in.

'Met Gea Langeveld.'

Het is alsof ze uitglijdt over iets akeligs glibberigs en keihard op de grond smakt.

'O ben jij het.'

'Jij belt *mij* toch!' zegt Gea verbaasd.

'Ik dacht dat je iemand anders was. Mijn moeder zei... nou ja laat maar. Je had *mij* trouwens gebeld.'

'Ja hoor eens, gráág of helemaal niet!'

'Wat bedoel je?'

'Dat ik je heb gebeld om te vragen of je vandaag nog wilt rijden. Maar als je moeilijk doet, hoeft het niet.'

'Ik doe niet moeilijk.'

'Jawel. Je zeurt. Ga je nou of niet?'

Rosa durft niet te zeggen dat ze eerst aan haar ouders moet vragen of ze nog weg mag.

'Ja, ik ga.'

'Goed.' Gea heeft al opgehangen voor Rosa nog iets kan zeggen.

Het is zondag. Dan zijn er geen lessen. Gea heeft niet gezegd dat ze moet longeren, dus kan ze vrij rijden. Op zondagmiddag zijn alleen de eigenaren van de pensionpaarden op de manege.

Rosa kijkt op de klok. Het is kwart over drie. Aan wie kan ze het beste vragen of ze weg mag? Aan haar vader, beslist ze.

'Papa,' begint ze, 'ik moet nog even langs de manege.'
'Ho ho!' zegt haar moeder. 'Hoezo *even* langs de manege?'
Rosa voelt dat ze bloost. Ze is niet goed in liegen.
'Gea belde. Ze heeft niemand voor Zefir.'
'Dat lijkt me dan toch echt háár probleem.'
'Ze vroeg of ik wilde rijden. Ik heb al ja gezegd.'
Haar moeder kijkt boos.
'Je had het eerst moeten vragen.'
'Dat kon niet.'
'Wat bedoel je met *dat kon niet?*
'Ze zei *graag of helemaal niet.*'
'En wat mag dat betekenen?'
'Dat ik snel ja moest zeggen want anders hoefde het niet meer.'
Haar vader kijkt nu ook boos.
'Je moet je niet zo onder druk laten zetten.'
'Nee,' zegt Rosa zielig, 'maar ik wil wel graag.'
'Nou ja, gá dan ook maar!' zegt haar moeder geërgerd. 'Je houdt het thuis ook geen minuut uit hè?'
'Hoe laat kom je terug?' vraagt haar vader.
'Over twee uur,' belooft Rosa.
'Voor het donker!' zegt haar moeder.
Rosa weet dat ze dat nooit haalt, maar ze belooft het toch. Misschien zijn haar ouders straks al vergeten wat ze hebben afgesproken.
Er is niemand op stal. In de binnenbak rijden drie mensen die ze niet kent. Ze kan maar beter eerst gauw poetsen. Ze moet Zefirs eigen poetsgerei gebruiken.
'Je weet niet wat die manegepaarden allemaal aan parasieten en schimmel hebben,' heeft Laura gezegd.
Rosa wil naar de kantine lopen om de sleutel van het kastje te halen. Maar dan beseft ze dat de kantine dicht is. Ze kan er niet in.
'O wat stom,' vloekt ze. Ze heeft haar paardentas bij zich.

Daar zit haar rijhelm in en de poetsspullen die ze voor de manegepaarden gebruikt. Die kan ze voor die ene keer wel nemen. Maar ze kan niet bij het zadel, niet bij het hoofdstel.

Tranen van teleurstelling springen in haar ogen. Gea heeft er natuurlijk ook niet bij stilgestaan. Rosa knijpt haar ogen dicht om beter na te kunnen denken.

Wat kan ze doen? Het liefst zou ze rijden, maar dat is uitgesloten. Longeren kan al evenmin, want daar heeft ze de lange zweep en de longe voor nodig, de lange lijn. Ze gaat naar de box en leunt met haar hoofd tegen de tralies.

'Zefir!'

De pony kijkt op en doet dan iets wat hij nog niet eerder heeft gedaan: hij briest en komt naar haar toe.

Rosa roept opnieuw heel zacht zijn naam. Ze voelt in haar zak. Ze heeft nog drie schijfjes wortel in een plastic zakje. Ze maakt de bovendeur van de box open en geeft Zefir een stukje wortel.

'Wat zal ik met je doen? We kunnen niet rijden, niet longeren. Ik kan misschien met je naar de paddock?'

De paddock is een omheind veldje van zand. Paarden die even los mogen om uit te dollen, worden erin gezet. De paddock wordt ook gebruikt om in te longeren. Het is wel een goed idee om Zefir daarheen te brengen, maar Rosa heeft ook geen halster.

'Ik ga een halster zoeken,' besluit ze. 'Misschien mag ik er een lenen.'

Ze zou de mensen die aan het rijden zijn om een halster kunnen vragen. Maar ze moet er niet aan denken dat ze iemand die ze niet goed kent, een volwassene nog wel, iets zou moeten vragen.

Zoekend loopt ze door de stal. Er liggen soms spullen op de grond bij de spuitplaats. De mensen laten vaak dingen slingeren. Bij de hooiberg zou ze ook kunnen kijken.

Ze vindt ten slotte een oud halster achter een kruiwagen,

bij de mesthoop. Het is een beetje kapot, ziet ze. De haak waarmee je het halster dichtmaakt onder de keel is stuk. Maar als ze er een strotouwtje aan vastknoopt, kan ze het gebruiken. Dan hoeft ze alleen nog een strotouwtje aan de ring vast te maken bij wijze van halstertouw. Zo kan ze Zefir meenemen.

Als ze de pony heeft gepoetst, maakt ze het halster min of meer in orde.

'Kom Zefir,' zegt ze. 'Het is jammer dat we niet echt kunnen rijden, maar er is ook een voordeel: nu kom ik op tijd thuis. Dat scheelt weer gezeur.'

Ze doet de pony het halster om en neemt hem mee de stal uit, naar buiten. Het gaat heel goed, maar het hekje van de paddock zit dicht. Dat had ze beter van tevoren open kunnen maken.

'Stom, stom!' mompelt ze terwijl ze het slot openschuift.

Dan klinkt er een kreet vanuit de binnenmanege. Wat daar gebeurt, weet ze niet. Maar ze voelt hoe Zefir verstrakt. Het gebeurt zo snel dat Rosa geen enkele kans heeft hem tegen te houden. Hij rukt zich los. Het strotouwtje snijdt langs de binnenkant van haar hand. Met kletterende hoeven galoppeert de pony weg, in de richting van de parkeerplaats.

'Zééééfir!'

Huilend rent Rosa achter de pony aan. Er is een slagboom tussen het manegeterrein en de parkeerplaats, maar als Zefir er doorheen wil breken, kan hij dat gemakkelijk. Hij zou er zelfs overheen kunnen springen.

Hijgend komt Rosa bij de slagboom aan. Daar staat Zefir, met opengesperde neusgaten en zijn oren stijf naar voren gericht. Rosa heeft haar mond al open om hem toe te schreeuwen. Dan, in een ogenblik van helderheid, bedenkt ze zich. Met een heel lichte stem fluistert ze: 'Zefir! Zefir? Brave pony, brááf.'

Even aarzelt Zefir, dan ontspant hij zich een beetje. Opnieuw noemt Rosa zijn naam. Heel langzaam sluipt ze naar hem toe, terwijl ze tegen hem blijft praten.

'Stil maar Zefie, zo is ie braaf. Rustig maar. Kijk, er is niks aan de hand.'

Dat laatste is niet waar. Rosa trilt over haar hele lichaam. Haar handen beven, haar stem klinkt hoog en bibberig, haar knieën knikken. Maar ze is vastberaden, ze moet Zefir terugbrengen naar zijn stal. Het idee om hem in de paddock te laten lopen, heeft ze laten varen. Ze zal blij zijn als ze hem weer veilig in zijn box kan zetten.

Zefir is opgehouden met in de verte turen. Hij luistert naar Rosa's stem en laat zijn hoofd een beetje zakken. Rosa tast naar het plastic zakje in haar jaszak. Met een langzaam gebaar haalt ze een stukje wortel tevoorschijn.

'Kijk!' fluistert ze. De pony zet een stap in haar richting en strekt zijn hals uit naar haar hand. Ze doet een paar stappen terug. Hij volgt. Dan, terwijl hij met zijn zachte lippen de wortel uit haar hand eet, pakt Rosa het strotouwtje.

'Kom,' zegt ze zachtjes. Zefir laat zich leiden. Om te zorgen dat zijn aandacht bij snoepen is en niet bij dingen in de omgeving, waar hij van zou kunnen schrikken, ritselt Rosa met het plastic zakje, terwijl ze het laatste stukje wortel in haar vrije hand neemt.

Nog nooit heeft het kleine stukje langs de stands naar Zefirs box zo lang geleken, maar eindelijk komen ze aan bij de stal, bij de box. Met een diepe zucht stapt Rosa met de pony naar binnen en geeft de wortel.

Het is voorbij. Ze schuift het halster over zijn hoofd en maakt het touwtje los. Het is maar beter als niemand ziet wat ze heeft geprobeerd te doen. Andere mensen zouden haar uitlachen als ze wisten dat zij dacht dat ze een grote sterke pony in bedwang kon houden met een kapot halster en een strotouwtje.

De deur van de binnenrijbaan gaat open, een van de ruiters komt naar buiten en loopt langs de box.

'Goedemiddag!' groet de vrouw. Ze loopt voor haar paard uit.

Rosa groet terug. Haar stem klinkt schor.

Als ze Zefir heeft achtergelaten, komt de vrouw opnieuw langs.

'Lekker buiten gereden?' vraagt ze.

Even aarzelt Rosa. Ze zou maar wat graag vertellen over het afschuwelijke avontuur dat ze daarnet heeft beleefd, maar ze durft niet. Als Gea en Laura erachter komen, mag ze misschien nooit meer voor Zefir zorgen.

'Ik heb hem losgelaten in de paddock,' antwoordt ze.

'O, ik hoorde al zo'n lawaai. Ik dacht dat hij was losgebroken.'

'Dat was ook zo,' bekent Rosa. 'Maar ik heb hem teruggekregen.'

'Nou, mooi dan. Dat is toch die pony van de meisjes?'

'Ja.'

'Ik ken hun moeder goed. Ik zie haar toevallig vanavond. Ze zit bij mijn bridgeclub.'

'Niet zeggen dat hij was losgebroken!' smeekt Rosa.

De vrouw kijkt haar met opgetrokken wenkbrauwen aan. Dan haalt ze haar schouders op en loopt verder.

'Mij best,' zegt ze.

Rosa is nog maar net thuis als Laura belt.

'Wat is er met Zefir gebeurd?' vraagt ze boos.

'Niks,' zegt Rosa zenuwachtig. 'Hij brak los, toen ik hem naar de paddock wilde brengen. Maar ik kon hem weer vangen.'

'Ik dacht dat je zo graag wilde rijden. Als we het genoeg hadden gevonden dat hij even losgelaten werd, had een van ons wel kunnen gaan.'

Rosa begint te huilen. 'Ik had de sleutel van het kastje niet. De kantine was dicht.'

'Dat kon je toch van tevoren bedenken! Dan had je langs ons huis moeten rijden.'

Rosa kan nog alleen maar huilen.

'Je had beter moeten nadenken,' zegt Laura en hangt op.

'Wat is er?' vraagt Rosa's moeder. Ze zit aan de eettafel met een stapel tijdschriften voor zich.

'Niks!' roept Rosa en rent naar haar kamer. Haar ouders waren ook al boos op haar omdat het donker was toen ze thuiskwam. Dan hoort ze opnieuw de telefoon gaan.

'Rosa!'

Rosa bijt op haar lip. Zou Gea ook nog bellen?

'Rosa!' roept haar moeder opnieuw.

Ze gaat naar de woonkamer. Haar moeder strekt haar hand met de telefoon erin naar haar uit. 'Voor jou.'

'Met Rosa.' Haar stem klinkt hoog en iel. Ze loopt naar de keuken, zodat haar ouders haar gesprek niet kunnen horen.

'Roos?' vraagt een onbekende. 'Sorry, je spreekt met Annet. Met de moeder van Donna.'

Rosa is zo blij dat ze iemand aan de lijn heeft die niet kwaad is, dat ze meteen weer begint te huilen.

Annet wacht rustig.

'Is er iets mis?' vraagt ze dan.

Hoe lang kent ze Annet helemaal? Drie dagen? Het is alsof het drie jaar is en dat ze altijd al alles aan haar heeft kunnen toevertrouwen. Ze vertelt het hele verhaal, van het sleuteltje waar ze niet bij kon tot de schrik toen hij ervandoor ging.

Annet laat haar uitpraten. Ze zegt alleen af en toe 'Ach', en 'Ja', en 'Hm'. Als Rosa klaar is met haar verhaal zegt ze: 'Ik vind dat je het hartstikke goed hebt gedaan, joh!'

Wat zegt Annet nu?

'Je moest toch íéts met dat beest? Wat kon je anders

doen dan hem loslaten in de paddock? Trouwens, als hij niet was geschrokken, had je helemaal geen probleem gehad. Wacht, ik vraag even aan Donna wat zij ervan vindt.'

Annet overlegt heel kort met haar dochter. Dan komt Donna aan de telefoon.

'Ieder ander was gewoon naar huis gegaan en had die trutten gebeld en gezegd dat ze het zelf maar moesten uitzoeken. Als ze niet eens zorgen dat jij de sleutel hebt! Je moet uitscheiden met die rotmeiden, Roos. Je bent veel te goed voor ze.'

'Ik vind Zefir zo lief.'

Donna zucht.

'Ik weet ook niet of ik het zou kunnen,' geeft ze toe. 'Maar je mag niet zo verdrietig zijn. Wat?' Dat laatste is tegen Annet. Rosa hoort haar iets zeggen.

'Mijn moeder vraagt of je morgen bij ons komt eten. In het eetcafé,' laat ze er voor alle duidelijkheid op volgen.

'Ik rij om zeven uur.'

'Kom dan morgenmiddag. Dan eten wij tweeën vroeg en ga ik mee naar de manege. Ik kan je helpen met poetsen en ik ga naar je kijken, terwijl je rijdt. Wat?' Dat is weer tegen Annet.

'Je moet het eerst vragen, zegt mijn moeder.'

'Oké, wacht even!' Rosa loopt met de telefoon de kamer in.

'Mag ik morgen bij mijn vriendin eten?'

Haar ouders vragen niet wie ze bedoelt. Ze overleggen alleen of het past in hun plannen.

'Ik heb vergadering,' zegt haar vader. 'Ik eet in ieder geval niet thuis.'

'Ik zou die voorstelling nog kunnen gaan zien, die ik van de week heb gemist,' zegt haar moeder. 'Het komt dus niet eens verkeerd uit. Ga maar lekker naar je vriendinnetje, schat.'

'Het mag!' roept Rosa blij.

'Kom maar vroeg,' zegt Donna. 'Om drie uur of zo. Het is op de Sofialaan. Weet je die?'

'Ja.'

'Nummer 64, Eetcafé de Os. Boven de deur is een tegel met een soort koe. Dat is een os. We mogen misschien in de keuken helpen.'

Het wordt steeds erger

Het is nog niet druk in het eetcafé. Aan de bar zitten drie mensen, maar verder is de zaak leeg. Iedereen kijkt haar aan. Rosa weet niet wat ze moet doen. Aarzelend blijft ze bij de deur staan.

De barkeeper is een grote vrouw met rood haar. Ze glimlacht naar Rosa en zegt: 'Op jou wordt gewacht, in de keuken. Kom maar hier, dan breng ik je even naar achteren.'

Met een rood hoofd van verlegenheid komt Rosa naar haar toe.

'Kom maar,' moedigt de vrouw met het rode haar aan. 'Je bent dan wel onder de zestien, maar zolang je niet om bier vraagt, ben je hier welkom.' Ze lacht om haar eigen grapje. De klanten aan de bar lachen mee.

Rosa loopt met de barkeeper mee naar de keuken. Daar is het warm en veel gezelliger dan in het café. Annet en Donna zitten samen aan een grote tafel groente te snijden.

'Ha! Daar is onze Rosa!' groet Annet.

'Hoi!' zegt Donna. 'Kun je aardappelen schillen?'

'Donna!' zegt Annet bestraffend. 'Rosa is net binnen. Ze wil eerst thee met koekjes en dan gaan we kijken of er een karweitje is dat ze leuk vindt. En de aardappelen zijn al geschild, hoor Roos. Dat doet de groothandel.'

Rosa kijkt nieuwsgierig rond. Er staat een enorme pan op het vuur en aan de muur boven het grote fornuis hangen bakpannen en ander kookgerei, allemaal in extra large, alsof er een reus in deze keuken woont.

Annet staat op en houdt een glazen kopje onder een speciaal kraantje naast het fornuis waar kokend heet water uitkomt.

'Handig hè?' lacht ze. Ze pakt een theezakje en hangt het in het theeglas.

'Wil je suiker?'

Rosa schudt haar hoofd.

'Goed zo,' prijst Annet. 'Van suiker word je dik.'

'Ik ben niet dik,' zegt Donna, terwijl ze in haar kop thee roert.

'Ik had het niet over jou.' Annet knijpt even in de wang van haar dochter.

'Als je het leuk vindt, Rosa, mag je samen met Donna sperziebonen afhalen. Heb je dat al eens eerder gedaan?'

Rosa heeft nog nooit in de keuken geholpen. Het enige wat ze kan, is een pizza opwarmen en een tosti maken. Annet fronst haar wenkbrauwen als ze hoort hoe vaak Rosa dat doet.

'Ik ga jou leren iets héél gemakkelijks te koken, dat lekker is, gezond en gauw klaar. Hou je van tartaar?'

'Ik eet liever geen vlees.'

'Ben je vegetariër?' vraagt Donna. 'Ik ook!'

'Ik mag niet van mijn moeder,' zegt Rosa.

Annet kijkt nadenkend.

'Ik leer je pasta maken met gebakken tomaatjes en paprika. Denk je dat je dat lust?'

'Ja!'

'Maar eerst maken we het werk af.'

Met zijn drieën halen ze de toppen van wel vijf kilo sperziebonen af en breken ze de bonen doormidden.

'Dat is voor de draden,' legt Annet uit. 'Soms zitten er draadjes aan bonen. Die moeten eraf.'

'Ik kan al koken,' zegt Donna trots.

Als de bonen klaar zijn, maakt Annet soep, terwijl Donna en Rosa over de manege praten. Donna vertelt dat ze Gea nooit aardig heeft gevonden.

'Maar Zefir is wel leuk.'

'Ja. Daar heb je gelijk in. Ik heb toen ook nog geprobeerd om bijrijder te worden. Maar ze vonden mij natuurlijk te kattig. Jij bent veel liever, jou kunnen ze aan.' Rosa krijgt een kleur.

'Weet je,' zegt Donna snel, 'héél misschien mag ik zelf nog eens een pony, een eigen pony.'

'Echt waar?'

Donna heft haar handen.

'Ik hoop het.'

'Wat voor een zou je dan willen?'

'Zo-een als Zefir is natuurlijk wel erg mooi. En Tiptop ziet er leuk uit en Dorrit.'

'Maar die bokt.'

'Ik wil een lieve pony, die er héél erg mooi uitziet.'

'Ik vind bijna alle pony's leuk.'

'Ik ook.'

Ze zwijgen even.

'Jammer dat jij vanavond niet rijdt,' zegt Rosa.

'Ja maar kijken is bijna net zo leuk.'

'Hoe laat zullen we gaan?'

'Over een halfuur?'

'Ik krijg nog kookles,' zegt Rosa.

'Dat is zo gebeurd hoor!' zegt Annet. 'Kom maar bij het fornuis staan, dan laat ik je zien hoe het moet.'

Rosa heeft zich eigenlijk nooit afgevraagd hoe je eten klaarmaakt. Als haar moeder kookt, mag ze niet in de keuken komen, want dan brandt het aan, zegt haar moeder altijd.

Van Annet mag ze wel kijken, het moet zelfs, anders leert ze niks. Ze schilt zelf een tomaat die in een heet badje is geweest om het vel los te maken. Ze ziet hoe je een paprika schoonmaakt en telt drie eetlepels olie af. In tien minuten is de saus klaar.

'Jullie krijgen hem nu met rijst, want die heb ik staan,'

zegt Annet. 'Dan hebben jullie in ieder geval wat gegeten. En een schaaltje yoghurt met banaan.'

Het gebeurt niet vaak dat Rosa op maandagavond warm eten op heeft als ze naar de manege gaat. Meestal heeft ze brood bij zich, maar het overkomt haar ook vaak dat ze vergeet iets mee te nemen. Dan heeft ze honger, maar dat vindt ze niet zo erg. Nu is het net of ze een kacheltje in haar buik heeft. Ze heeft geen honger, ze heeft een fantastische middag gehad en nu gaat er zelfs nog een vriendinnetje met haar mee, speciaal voor haar!

Zo stil en verlaten als de manege gisteren was, zo druk is het nu. De les van vijf uur is bijna afgelopen en de kinderen die om zes uur rijden, staan klaar.

'Hoe laat ga jij poetsen?' vraagt Donna.

'Zo meteen.'

Samen lopen ze naar de kantine om het sleuteltje van de kast te halen.

'Je zou een extra sleutel moeten laten maken,' zegt Donna.

'Dat mag vast niet.'

'Dat hoeven ze niet te merken. Als je het op maandag doet, komen ze er niet achter.'

Rosa schudt beslist haar hoofd.

'Ik durf dat niet achter hun rug om. Ze zijn nu al zo vals met alles. Als ik echt iets doe wat niet mag, is het meteen afgelopen.'

Donna trekt haar neus op.

'Zal ik helpen poetsen?'

Rosa wil net *ja* zeggen, als ze Gea binnen ziet komen. Ze heeft geen rijlaarzen aan. Ze wil dus niet rijden. Donna heeft haar blik gevolgd.

'Ik snap het al!' zegt ze gauw en gaat bij het raam belangstellend naar de les staan kijken.

'Ik kom je een sleutel brengen,' zegt Gea.

'O dat is fijn.' Rosa kijkt het blonde meisje onderzoekend aan. Is ze ineens niet meer kwaad?

'Je moet negen of tien dagen rijden,' zegt Gea. 'Want we gaan naar familie in Duitsland.'

Rosa's hart springt op. Ze kan nog net de woorden *o wat fijn!* binnenhouden.

'Oké,' zegt ze.

'We zijn vóór oudjaar terug. Ik laat nog wel weten of mijn zus of ik er de dertigste en de eenendertigste zijn. Maar een van ons rijdt in ieder geval in de Nieuwjaarscarrousel. Je mag dan wel poetsen en zorgen dat hij er pico bello uitziet.'

'Oké,' zegt Rosa weer.

Gea zoekt in haar zak en geeft Rosa de sleutel.

'Niet verliezen,' zegt ze en draait zich om.

Rosa gaat meteen naar de stal. Donna zal wel begrijpen dat ze beter niet mee kan gaan.

Terwijl Rosa Zefir poetst en opzadelt, denkt ze aan de twee zussen. Ze lijken wel met de dag onaardiger te worden. Zou Rosa er eigenlijk mee op moeten houden? Zou ze tegen hen moeten zeggen dat ze geen bijrijdster meer wil zijn? Maar dan kan ze nooit meer iets met Zefir doen en zit ze nog maar één keer in de week op een pony.

Rosa legt haar hand op Zefirs bil. Even trekt hij zijn been op, maar dan zet hij het weer neer.

'Brááf!' zegt Rosa. Nu ze Zefir zo vaak ziet, lijkt het eigenlijk erg mee te vallen met die boze buien van hem. Hij dreigt soms een beetje maar als je rustig bent op stal, is hij het ook.

Net voor de les begint, is Rosa klaar. De eerste pony's en paarden gaan al naar de ingang van de rijbaan. Ze hoort Axels stem: 'Ruiters en amazones, jullie zijn welkom!'

Dit is een heel druk uur, omdat het gratis is. Pensionpaarden mogen altijd meerijden in alle lessen, maar dan moeten ze tien euro betalen. Alleen op maandag niet.

Rosa telt vijftien ruiters. Dat is erg veel. Maar Axel zorgt altijd wel dat er plaats is voor iedereen.

'Jullie moeten meteen afwenden als je te dicht op een ander komt en als er aan de overkant geen plek is, wend je weer af.'

Hij laat veel slangenvoltes rijden. Dan steken de paarden drie of vier keer de rijbaan over. Zo maken ze veel beter gebruik van de ruimte op het midden. De galop wordt op twee voltes gereden. Dan lopen de paarden elkaar niet in de weg.

Zefir wordt altijd zenuwachtig als het zo druk is. Een paar keer springt hij opzij en verliest Rosa bijna haar evenwicht. Als hij in galop aangaat, haalt hij met zijn achterbeen uit naar een pony die op de andere volte rijdt.

Rosa heeft haar handen vol aan hem. Ze ziet pas dat Gea vanuit de kantine naar haar staat te kijken, als Axel een paar rondjes stap aan de lange teugel heeft gegeven.

Gea keert zich lachend van het raam af en zegt iets tegen iemand achter haar. Rosa bijt op haar lip. Ze voelt dat het over haar gaat.

Als Axel *teugels op maat!* commandeert, is ze gespannen en zit ze niet rustig. Zefir voelt de verandering onmiddellijk. Hij maakt zijn rug stijf en stapt met korte passen.

'Rosa, haal even adem, ontspan je schouders en beloon je pony!' zegt Axel. Rosa doet wat hij zegt en Zefir briest.

'Dat is beter.'

Maar echt goed wordt het niet meer. Rosa voelt dat Gea haar in de gaten houdt. Telkens als ze langs de ruit van de kantine komt, kan ze het niet laten om even te kijken of ze er nog steeds staat. Pas als de les voorbij is en de paarden mogen uitstappen, verdwijnt het spottende gezicht achter het glas.

Als ze op stal komt met Zefir, komt Donna haar tegemoet.

'Wat een rotmeid,' scheldt ze. 'Weet je Roos, zij had er geen erg in dat ik op haar lette en ze zei me toch erge dingen tegen Barbara!'

'Wat dan?'

'Dat jij maar zo'n beetje meelift en dat Zefir voor geen meter liep. Ik wou nog naar haar toe gaan om haar keihard te zeggen wat ik van haar vind, maar toen zei Barbara al, dat ze vond dat jij heel netjes rijdt. Dat Zefir prima liep. En toen zei Gea dat het maar goed was, dat Laura altijd op dinsdag rijdt, zodat hij weer soepel wordt, want dat hij altijd helemaal stijf is als jij hem hebt gereden.'

Rosa weet niet wat ze hoort.

'En ze laat mij doodleuk tien dagen op hem passen! Als ik echt zo slecht reed, had ze mij toch niet als bijrijdster hoeven te kiezen. Er waren er genoeg die wilden.'

'Ze is een vals kreng,' zegt Donna. 'Ze weet niet dat wij vriendinnen zijn en ik dacht dat het misschien beter is als ze daar nog niet achter komt. Want dan durft ze niks te zeggen waar ik bij ben. Nu weten we in ieder geval hoe ze over jou praat.'

Rosa leunt tegen Zefirs flank en vlecht haar vingers in zijn manen. Ze kan haar tranen niet tegenhouden. Donna doet een stap naar voren en pakt haar arm.

'Toen ik zag dat ze keek, ging het helemaal niet meer,' fluistert Rosa schor.

'Onzin,' zegt Donna beslist. 'Je reed hartstikke goed. Hij sprong een paar keer weg, maar je bleef heel rustig en toen werd hij ook kalm.'

'Is ze nu weg?'

'Ze zei dat ze naar huis ging.'

Rosa draait zich om naar de pony en maakt de singel los. Ze bijt op haar lip.

'Zal ik zijn hoofdstel afdoen?' vraagt Donna.

'Wacht, ik wil zijn benen afspuiten.'

‘Goed idee. Doen we zijn deken op?’

‘Ja,’ zegt Rosa. Donna legt de staldeken op Zefirs rug en maakt de singels vast. Rosa schuift de boxdeur open en neemt de pony aan één teugel mee naar de spuitplaats. Donna loopt mee aan de andere kant. Haar hand houdt ze losjes om de andere teugel. Samen verzorgen ze de pony. Met Donna bij zich voelt Rosa zich sterk.

‘Kom je morgen ook naar de manege?’ vraagt ze.

Donna houdt haar hoofd schuin.

‘Dat is wel een goed idee. Wat ga je met Zefir doen?’

Daar heeft Rosa nog niet over nagedacht.

‘Ik weet het eigenlijk niet. Misschien kan ik ’s ochtends vrij rijden.’

‘Mijn moeder heeft om elf uur privéles. We kunnen King voor haar poetsen en opzadelen Als jij daarna gaat, kan ik je helpen en ’s middags kun je weer met ons mee naar het eetcafé. We hoeven niet te helpen als we niet willen. We mogen ook in het café zitten en spelletjes doen.’

‘Ik wil best in de keuken zitten,’ zegt Rosa. Ze denkt aan de barkeeper. Als volwassenen grapjes maken, voelt ze zich altijd slecht op haar gemak. In de keuken is het gezelliger.

‘Ga jij straks meteen naar huis?’ vraagt Donna.

Rosa haalt verlegen haar hand door haar haren. Ze vindt het vervelend om aan Donna te vertellen dat bij haar thuis niemand op haar wacht.

‘Ik weet het niet.’

‘Ik moet direct weg,’ zegt Donna. ‘Ik ben al laat.’

Zodra Donna weg is, voelt Rosa zich verdrietig. Eigenlijk heeft ze geen zin om nog op de manege te blijven. Maar thuis is het ook niks. Haar ouders zijn er vast nog niet en als ze pech heeft, hebben ze de verwarming laag gezet.

Als ze klaar is met Zefir, drentelt ze nog een poosje rond, maar dan besluit ze toch maar te gaan.

Buiten staat een harde wind. Rosa haalt haar muts en wanten uit haar tas. Het is een kwartier fietsen naar huis. Het eerste stuk is een beetje eng, want daar wonen geen mensen. Maar dan slaat ze linksaf de verlichte woonwijk in.

Als ze haar fiets in de stalling van de flat heeft gezet, gaat ze met de lift naar de derde etage. Van buitenaf heeft ze al gezien dat haar ouders er nog niet zijn.

Het is pas tien voor negen. Misschien had ze toch beter in de warme kantine naar de les kunnen blijven kijken.

Ze doet het licht in de woonkamer aan en zet de verwarming hoger. Ze zou televisie kunnen kijken. Lusteloos pakt ze de afstandsbediening en zet het toestel aan. Er is een reclameblok bezig. Dan gaat de telefoon.

Dat is Gea, weet ze. Ze kijkt naar het nummer. Ja hoor, Gea. Of Laura.

'Ja, met Rosa.'

'Hai, met Gea, maar dat zag je zeker al. Zeg, ik heb naar je zitten kijken en ik heb het er met Laura over gehad. Wij vinden dat je beter met een Thiedemann-teugel kunt gaan rijden.'

'Een wat?'

'Dat is een hulpteugel, waardoor je je paard beter rond kunt rijden.'

Rosa zwijgt.

'Er hangt er een in het kastje. Hij ziet er een beetje uit als een martingaal, maar dan met knipjes aan de uiteinden.'

Rosa weet welke teugel ze bedoelt. Ze wist alleen niet hoe zo'n ding heette.

'Zefir drukt enorm zijn rug weg als jij op hem rijdt en dat is slecht voor hem. Met de Thiedemann heeft hij minder last van je.'

Rosa zegt nog steeds niks. Er zit een prop in haar keel.

'Hoor eens, ik weet wel dat jij je te goed voelt voor een beetje hulp,' snauwt Gea. 'Maar ik zeg het niet voor niks. Ik kom voor mijn pony op. Ik denk alleen aan hem. Aan zijn rug.'

'Ja,' weet Rosa eindelijk uit te brengen.

'Oké, dat is dan afgesproken,' zegt Gea. 'Doei!'

Rosa laat zich op de bank zakken, legt de telefoon naast zich neer en verbergt haar gezicht in haar handen. Tranen druppelen tussen haar vingers door op de vloer.

Je bent gek dat je dit pikt! klinkt het in haar hoofd. Van wie is die stem? Van Donna? Van oma? Van haarzelf? Ze stelt zich voor hoe het zou gaan. Op de manege zou ze naar Gea toe moeten lopen of naar Laura, als zij die dag rijdt. *Ik hou ermee op*, zou ze moeten zeggen, *ik vind het niet leuk meer.*

Zouden Gea en Laura willen weten waarom ze ermee stopt? Of zouden ze iets gemeens weten te bedenken? Iets als: *O, kost het je te veel tijd?* Of: *Wordt het je te duur?* Want Rosa betaalt iedere maand een bedrag voor Zefir, dat voor een deel van haar zakgeld wordt afgetrokken. Ze hoeft verder nooit iets te kopen, dus maakt het haar niet uit of ze zakgeld heeft of niet.

Ze gaat rechtopzitten en veegt haar neus af aan haar mouw.

'Ik wil Zefir niet kwijt,' besluit ze. 'Die rotzussen zeggen maar wat ze willen. Ik trek me er gewoon niks meer van aan. Wat ze ook voor gemene streken bedenken, ik doe net of ik het niet hoor. Het lijkt een beetje op dat bijten van Zefir. Die kan het ook niet helpen dat hij nu eenmaal chagrijnig is.'

En dan is er nog iets wat maakt dat ze het gevoel heeft dat ze ertegen kan: Donna is haar vriendin. Aan Donna kan ze vertellen hoe erg Gea en Laura weer zijn geweest.

Ze knikt vastbesloten, alsof ze tegen iemand anders heeft zitten praten en niet in zichzelf. Dan pakt ze de telefoon en zoekt Donna's nummer. Er wordt niet opgenomen. Teleurgesteld staat ze op van de bank om de telefoon terug te zetten in de houder. Donna slaapt misschien al. Maar dan bedenkt ze waar haar vriendinnetje kan zijn: in het eetcafé, bij haar moeder. Dat nummer staat niet in het telefoongeheugen. Hoe heette het ook alweer? Het was een beest, een koe, nee een os. Eetcafé de Os. Het staat niet in het telefoonboek, bij de O, maar wel op internet. Even later heeft ze het gevonden.

Zou ze de barkeepster aan de lijn krijgen? Bij die gedachte durft ze al niet meer te bellen. Ze kijkt op de klok. Het is al bijna halftien. Misschien kan ze beter naar bed gaan. Met een zucht zet ze de verwarming weer lager en gaat naar haar kamer om een pyjama aan te trekken. Dan poetst ze haar tanden en gaat in bed liggen. Het is weer net als vóórdat Donna en Annet in haar leven kwamen. Ze is helemaal alleen.

Met een eigen pony

'Hoe was het gisteren?' vraagt Rosa's moeder.

Ze zitten samen aan een laat ontbijt. Rosa heeft lang liggen woelen in bed. Ze heeft haar ouders zelfs horen thuiskomen, een voor een. Ze luisterde naar de geluiden, die uit de keuken kwamen. De ijskast die open werd gemaakt en weer dichtsloeg, een stoel die verschoof en later de geluiden uit de badkamer. Toen de slaapkamerdeur openging en haar vader kwam kijken of alles in orde was, riep ze hem: 'Papa!'

Hij was op de rand van haar bed komen zitten.

'Wat is er schat? Kun je niet slapen?'

'Nee.' Ze had willen vertellen wat er gebeurd is en aan hem willen vragen wat hij zou doen als hij in haar plaats stond. Maar het was te ingewikkeld om uit te leggen.

'Heb je zorgen?' vroeg haar vader.

'Ja.'

'Wat is er dan?'

'Die meisjes van mijn verzorgpony doen zo naar.'

'Wat doen ze?'

'Ze zeggen dat ik slecht rij. En dat ik het kastje niet opruim. En ze roddelen achter mijn rug.'

'Dat is heel lelijk.'

'Ja.' Rosa had willen uitleggen waarom het zo gemeen is dat Gea over de Thiedemann-teugel begon, maar haar vader zou daar niets van begrijpen.

Hij legde een hand op haar schouder.

'Je moet je niet zo laten opjagen door die meiden,' raadde hij aan. 'Je hebt zo'n verzorgpony toch vooral op de momenten dat zij er níét zijn? Die enkele keer dat je ze tegenkomt, doe je net of je ze niet hoort en niet ziet.'

Het was eigenlijk precies wat zijzelf had bedacht.

'Ja, dat is wel het beste,' zuchtte ze.

Toch had het niet echt geholpen wat haar vader zei. Maar toen hij weg was, moet ze toch in slaap zijn gevallen.

'Papa zei, dat je een beetje ruzie had met de eigenaars van je verzorgpony,' zegt haar moeder.

Rosa knikt en schuift de twee stukjes brood op haar bord naar de rand.

'Ze zijn niet aardig.'

'Waarom hou je er niet gewoon mee op?' vraagt haar moeder. 'Er zullen toch warempel wel meer mensen zijn die een lief meisje zoeken die een beetje met hun pony wil tutten?'

Dit gesprek is nog moeilijker dan dat van gisteravond. Haar moeder weet niet eens wat ze eigenlijk met Zefir doet. Rosa zet haar ellebogen op tafel en kijkt haar moeder met gefronste wenkbrauwen aan.

'Het is niet zomaar tutten,' legt ze uit. 'Je moet echt veel doen als je bijrijder bent.'

Haar moeder heeft haar mobiele telefoon naast haar bord gelegd en kijkt snel even naar het schermpje.

'Oké,' zegt ze een beetje ongeduldig. 'Hebben alle bijrijders moeilijkheden of ben jij de enige?'

'Anderen krijgen soms ook ruzie,' zegt Rosa. 'Als de een netter op de spullen is dan de ander. Of als iemand zegt dat ze zal rijden en niet komt opdagen. Maar het gaat ook vaak goed. Op onze manege zijn twee vriendinnen die samen een pony delen. Die hebben nooit problemen. Ik ken ook een meisje dat van buiten komt. Zij rijdt voor een mevrouw. Zij en de mevrouw zien elkaar nooit. Dus krijgen ze ook geen ruzie.'

'Ik snap het!' knikt haar moeder. Ze heeft haar hand op de telefoon gelegd.

'Hoor eens, Roos,' zegt ze. 'Je moet maar eens goed nadenken of je dit wel wilt. Als jij denkt dat het niet meer leuk is, hou je er gewoon mee op.'

'Ja maar ik vind Zefir zo lief!'

'Er zijn wel meer lieve pony's. Je vindt die eh... Tiptop of zo, toch ook leuk?'

'Ja, natuurlijk!'

'Dan rij je daar maar een keer extra op.'

'Dat kan niet zomaar!'

'Hoezo?'

'Axel deelt de pony's in. Je mag niet kiezen.'

'Waarom niet?'

'Omdat iedereen dan dezelfde pony wil, de goeie, zoals Quincy en Tiptop.'

'Mmm, Roos, ik moet even bellen. We praten straks nog wel. Eet je brood even op, dan mag je afruimen.'

Ze toetst een nummer in en zit even later druk te praten met iemand van haar werk.

Rosa veegt de twee stukjes brood en de kruimels bij elkaar en schudt het bord leeg boven de vuilnisbak. De kopjes en het bestek zet ze op het aanrecht. Haar moeder maakt een gebaar dat waarschijnlijk *afwasmachine* betekent. Rosa doet net of ze het niet ziet, zet gauw de kaas en de melk in de koelkast en gaat naar haar kamer om haar paardrijtas te pakken.

Ze kan net zo goed meteen naar de manege gaan. Van praten komt toch niks meer.

Maar als ze op het punt staat naar buiten te gaan, roept haar moeder haar terug.

'Zou je het leuk vinden om voortaan twee keer in de week te rijden in plaats van één?' vraagt ze.

'Hartstikke leuk!'

Haar moeder glimlacht.

'Je had best een goed rapport, vond ik, dus we hoeven

niet bang te zijn dat je schoolwerk in de knel komt. Vraag maar aan Axel of er op zaterdagmiddag een plaatsje voor je is. Dan heb je in ieder geval die twee meisjes niet meer nodig.'

Rosa slaat haar armen om haar moeders hals.

'Wat lief van je mam! Ik vind het echt héél erg leuk!'

'Goed zo! Ga maar lekker naar de manege. Wacht: wil je vijf euro mee? Dan kun je ook nog iets te drinken nemen.'

Rosa pakt het geld verrast aan.

'Dankjewel!'

'Veel plezier! Hoe laat ben je thuis?'

Dat is waar ook! Ze heeft met Donna afgesproken.

'Donna heeft gevraagd of ik bij haar kom eten.' Ze ziet dat haar moeder niet weet wie Donna is.

'Mijn vriendin,' zegt ze trots.

'Mmm,' zegt haar moeder. 'Donna. Nou ja, het is goed hoor. Wij zijn in ieder geval vroeg thuis vanavond. Ik ga alleen even naar de sportschool.'

'Ik kom om halfnegen thuis,' belooft Rosa. En dan huppelt ze naar de lift.

Op de fiets rekent ze uit hoe vaak ze zou kunnen rijden als de vakantie voorbij is. In ieder geval dus twee keer op manegepony's. Maar als ze Zefir kan vasthouden, is het al drie keer. Of vier, als ze een beetje geluk heeft. Drie of vier keer paardrijden, dat is net zo vaak als kinderen die een eigen pony hebben. Dan kan ze net doen of Zefir echt van haar is.

Donna is er nog niet als ze de kantine binnenloopt. Er is nog niemand, alleen Barbara staat achter de bar voorraden aan te vullen. Rosa kijkt op het bord op wie Annet straks les krijgt. Marcel. Dat is een paard dat ze niet kent.

Ze loopt naar de bar.

'Ken jij Marcel?' vraagt ze verlegen aan Barbara.

‘Is dat een jongen of een paard?’ grapt Barbara.
Rosa voelt dat ze een hoofd als een tomaat krijgt. Wat is dat toch met volwassenen, dat ze altijd lollig moeten doen?
‘Een paard,’ stottert ze.
‘O, ik dacht dat je verkering zocht.’

Rosa draait zich om. Ze kan beter aan Tamara gaan vragen waar Marcel staat.
‘Wat wil je weten van Marcel?’ roept Barbara haar achterna.
Rosa staat stil.
‘Waar hij staat. De moeder van Donna heeft straks les op hem.’
‘Volgens mij ergens achterin, tussen King en Black Magic als ik me niet vergis. Het is een grote bruine, met een bles.’
‘Oké.’
Rosa loopt naar de stal en zoekt naar Marcel. Hij staat inderdaad in die hoek, op de rij naast King, niet naast Black Magic maar naast Igor.
Rosa wil alle drie de paarden een stukje wortel geven, maar Igor hapt zo gemeen naar Black Magic dat die opzij springt en Rosa bijna verplettert tegen de flank van Marcel.
Rosa doet geschrokken een paar stappen terug.
‘Wat is dat daar!’ hoort ze de boze stem van Tamara.
‘Ik wilde ze iets geven,’ piept Rosa.
‘O ben jij het?’ Tamara komt naar haar toe.
‘Je kunt ze beter niks geven,’ zegt ze. ‘Ze krijgen er alleen maar voernijd van.’
‘Wat is dat?’
‘Dat ze jaloers zijn als de ander eerder eten krijgt dan zijzelf. Geef maar alleen iets als je samen met een paard in de box staat.’
Rosa begrijpt het niet. Alle kinderen geven toch lekkers aan de pony’s?

'Dan krijgen ze het allemaal tegelijk. Dat is niet verkeerd,' zegt Tamara. 'Maar wat was je aan het doen bij de paarden? Moet je niet naar je eigen pony?'

Rosa glimt van trots. Haar eigen pony, dat mocht ze willen!

'De moeder van Donna heeft om elf uur privéles op Marcel. Wij gaan hem opzadelen.'

Tamara kijkt op haar horloge.

'Hij heeft net hooi gekregen. Laat hem nog maar even met rust, dan mogen jullie om halfelf beginnen met poetsen.'

Rosa knikt. Ze kan bij Zefir langsgaan. Nu Gea en Laura er niet zijn, hoeft ze niet bang te zijn dat een van de twee plotseling voor haar neus staat.

Zefir staat ook hooi te eten. Even blijft ze voor de box wachten, dan roept ze hem zachtjes. Ze verwacht dat hij meteen zijn oren platlegt, maar er gebeurt iets bijzonders. Zefir kijkt een ogenblik op, hinnikt dan bijna onhoorbaar en gaat door met eten. Zo rustig is hij nog nooit geweest.

Heel langzaam schuift Rosa de boxdeur open en loopt op haar tenen naar binnen. Dat is net te veel. Zefir trekt als vanouds een chagrijnig gezicht en keert zelfs zijn achterhand een heel klein beetje in Rosa's richting, alsof hij wil trappen.

'Stil maar,' fluistert ze. 'Ik kom alleen een worteltje brengen.' Ze pakt een schijfje wortel uit haar bodywarmer en reikt het aan. Nu kijkt de pony weer vriendelijk en belangstellend.

'Zie je wel? Het is helemaal niet eng en akelig.'

Zefir eet de wortel op en laat zijn hoofd zakken om verder te eten. Nu kan Rosa hem rustig aaien. Ze laat haar hand langs zijn hals glijden en kroelt door zijn manen. Hij laat het toe en protesteert zelfs niet als Rosa hem over zijn buik streelt. Dan hurkt ze bij het hooi en pakt een plukje.

‘Kijk, Zefie, pak maar aan.’

Maar dat vindt hij onzin. Hij heeft haar niet nodig om bij zijn hooi te komen. Rosa gaat met gekruiste benen op het stro zitten en kijkt toe hoe de pony eet.

Zo zit ze wel een kwartier, tot ze de stem van Donna hoort, die aan Tamara vraagt of ze Rosa heeft gezien.

‘Die was daarnet nog op stal. Is ze niet in de kantine?’

‘Nee, daar kom ik net vandaan.’

Rosa staat op en schuift de boxdeur open.

‘Ik ben hier!’

Voor ze naar buiten stapt, ziet ze nog het hoofd van Zefir, die verontwaardigd naar haar hapt.

‘Hoi!’ groet Donna blij. ‘Mijn moeder zit boven, bij Barbara koffie te drinken. Ze heeft Marcel. Ken jij die?’

Rosa knikt. ‘Ik ben daarnet al bij hem geweest. Hij staat achterin, bij King en Igor.’ Samen halen ze een zadel en een hoofdstel.

Ze poetsen ieder een kant. Marcel staat op de laatste restjes hooi te kauwen en tilt geduldig zijn voeten op als een van de twee meisjes erom vraagt.

‘Hij is superlief,’ prijst Donna.

‘Nou!’

Nu er geen worteltjes worden uitgedeeld, is Igor ook rustig. Rosa geeft hem een knuffel.

‘Weet jij hoe Marcel in de les is?’ vraagt Donna.

‘Geen idee. Maar hij zal wel braaf zijn, anders zetten ze er geen beginner op.’

Het is raar om over volwassenen te praten alsof ze minder zijn dan zijzelf, zeker als het over een moeder gaat. Rosa bloost onwillekeurig. Maar Donna vindt het heel gewoon.

‘We gaan donderdag laarzen kopen. Mijn moeder zegt dat ze paardrijden leuk vindt. En als ze er toch weer mee ophoudt, kunnen we de laarzen voor mij bewaren. Misschien heb ik tegen die tijd een eigen pony.’

‘Een eigen pony!’ zucht Rosa.
‘Mijn vader wil er misschien een voor mij kopen.’
Rosa kijkt Donna nieuwsgierig aan. Ze hebben het nog helemaal niet over een vader gehad. Ze dacht dat Annet en Donna met zijn tweeën waren.
‘Mijn ouders zijn gescheiden toen ik negen was,’ vertelt Donna luchtig. ‘Hij woont met zijn vriendin in een huis met een tuin.’

‘O.’ Rosa weet niet goed wat ze moet zeggen. Bij haar in de klas zitten veel kinderen van wie de ouders gescheiden zijn. Daar staat ze nooit bij stil, maar voor haar vriendin vindt ze het wel zielig. Ze kijkt Donna onderzoekend aan.
‘Ik vind het niet erg hoor! Ik heb het hartstikke gezellig met mijn moeder. En ik zie hem vaak genoeg. Ik vind die vriendin alleen niet zo leuk.’
Rosa doet net of ze een strootje uit Marcels manen plukt. Ze durft niet te vragen waarom.
Donna pakt het zadel en legt het op de hoge paardenrug.
‘Wat is dat beest groot!’
Rosa trekt het schabrak, het dek onder het zadel, een stukje omhoog, zodat de schoft vrij ligt.
‘Hier is de singel.’
Ze reikt de canvas riem onder Marcels buik door aan.
Donna doet de riempjes door de gesp en maakt hem vast.
‘Kun jij aan deze kant komen en hem wat strakker maken? Jij bent groter.’
Rosa loopt om en trekt de singel zo goed mogelijk aan.
‘Straks kan hij misschien nog twee gaatjes korter.’
‘Hoe laat is het?’
Donna heeft een horloge.
‘Tien voor.’
‘We doen het hoofdstel om,’ beslist Rosa.
Even later lopen ze met Marcel naar de binnenrijbaan. Annet komt er net aan.

'Jullie zijn fantastisch!' zegt ze.
Rosa kijkt naar haar kaplaarzen.
'Nog één keer,' zegt Annet. 'De volgende keer dat ik kom rijden, ben ik helemaal in uniform.'
'Tenue,' verbetert Donna haar. 'Wij zeggen nooit uniform.'

Tamara komt de stal in.
'Ik geef vandaag les, Annet,' zegt ze. 'Als de meiden Marcel naar binnen brengen, kun je opstijgen.'
Annet fronst even haar wenkbrauwen.
'Ik betaal voor Axel,' zegt ze.
Tamara lacht vriendelijk.
'Ik heb dezelfde opleiding als hij, hoor! Dat ik meestal op stal werk, is omdat ik dat prettiger vind. Maar ik kan heus wel lesgeven.'
'Vooruit dan maar,' zegt Annet.
Donna kijkt haar moeder een beetje boos aan.
Als Rosa en zij samen in de kantine voor het raam zitten, aan een tafeltje naast de bar, fluistert Donna: 'Dat vond ik nou toch zo stom van mijn moeder! Ik heb haar allang verteld dat Tamara net zo goed is als Axel.'
'Ze ziet Tamara nooit lesgeven. Daarom weet ze het niet. Tamara vindt paarden leuker dan mensen,' zegt Rosa. 'Dat heeft ze wel eens gezegd.'
'Ik snap dat best. Mensen zeggen altijd zulke stomme dingen, net zoals mijn moeder daarnet deed.'
'Ach,' zegt Rosa vaag. Zij vindt Annet aardig en eigenlijk is het wel goed als je dat soort dingen gewoon durft te zeggen. Annet zou geen moeite hebben met Laura en Gea. Rosa zou wel willen dat ze wat brutaler was. Dan maar een keer niet zo vriendelijk.
'Ik geloof dat Tamara kinderen niet leuk vindt,' zegt Rosa.
'Dat valt wel mee. Ze heeft een hekel aan de moeders van

kinderen,' zegt Donna. 'Die doen ook echt wel raar! Laatst zat er een op de tribune. Het was hartstikke koud, maar zij zat daar, met een enorme bontjas aan en een hoed op. Haar dochter reed in de springles. Telkens als ze een sprong moest maken, zat die moeder de galopsprongen méé te tellen en bij elke hindernis riep ze keihard: *Nu!* Axel heeft er iets van gezegd.'

'Wanneer was dat?'

'Vorige week zaterdag. Toen was jij er niet.'

Vorige week zaterdag kenden Donna en zij elkaar alleen vaag. Wat lijkt dat lang geleden. Ineens herinnert Rosa zich de belofte van haar moeder.

'O ja!' roept ze. 'Dat heb ik jou nog niet eens verteld!' Donna leunt nieuwsgierig voorover.

'Ik mag voortaan ook op zaterdag rijden. Ik zal het straks na de privéles ook aan Tamara zeggen.'

Donna klapt in haar handen.

'Super!'

'Goed hè! Ik vertelde mijn moeder over Gea en zo. Toen zei ze dat ik twee keer mocht rijden. Zodat ik hun niet meer nodig heb.'

'Ga je ophouden met Zefir?'

Rosa trekt een bedenkelijk gezicht.

'Ik weet het niet,' zegt ze eerlijk. 'Ik ga het eerst nog een poosje proberen. Misschien gaat het na de vakantie beter.'

'Hmm.' Donna draait haar gezicht naar de ruit. Haar moeder krijgt een aanwijzing van Tamara en gaat netjes rechtop zitten. Dan gaat ze in draf op de volte. Ze kan nu beter lichtrijden.

'Heeft ze nu al eens gegaloppeerd?' vraagt Rosa.

'Nee. Ze durft nog niet en Axel zei dat ze er vanzelf aan toekomt.'

Annet gaat rechtdoor over de hoefslag en verandert dan van hand. Dan gaat ze weer op de volte en mag Marcel even zijn hals strekken.

‘Hij is superbraaf,’ zegt Rosa.

‘Volgens mij gooit hij hoger op dan King,’ zegt Donna. ‘Ze stuitert veel meer.’

Barbara komt bij hen staan en kijkt mee de bak in.

‘Marcel is niet fijn in draf,’ zegt ze. ‘Maar hij heeft een supergalop.’

‘Hoe weet jij dat?’ vraagt Donna verbaasd.

Barbara heeft een eigen paard, samen met haar man. Mensen die een eigen paard hebben, rijden nooit op manegepaarden. Die vinden ze veel te grof.

‘In de carrousel zit ik op hem.’

Op de manege zijn twee carrouselclubs, die met zestien paarden figuren instuderen voor de carrouselwedstrijd. Rosa heeft ze al een keer zien oefenen. Het lijkt haar ook leuk om te doen.

‘Waarom ga je niet op je eigen paard?’ vraagt Donna.

Barbara snuift.

‘Ik ga mijn paard niet gebruiken voor de carrousel. Ze denderen allemaal tegen elkaar aan. Als iemand voor jou ineens inhoudt, stapt het paard achter je zomaar op de verzenen van de jouwe.’

‘Wat zijn verzenen?’ vraagt Rosa verlegen.

‘Een soort hielen. Alleen zijn het geen hielen. Een paardenbeen zit anders in elkaar dan dat van een mens.’

Rosa houdt haar mond, maar eigenlijk wil ze weten waarom Barbara Marcel wél gebruikt voor de carrousel. Voor hem is het toch ook zielig?

‘En die manegepaarden dan?’ vraagt Donna.

Barbara lacht.

‘Tja, het is natuurlijk niet leuk om een manegepaard te zijn. Maar sommigen vinden de carrousel hartstikke leuk hoor! En er zijn zát mensen die hun eigen paard wel inzetten. Ik geloof trouwens, dat Marcel het graag doet. Hij rijdt vaak voorop.’

Rosa kijkt geboeid naar Annet. Ze moet nu doorzitten in draf. Dat is heel moeilijk, maar dan ineens valt ze in een soepele galop. Aan haar gezicht te zien vindt ze het eng. Drie rondjes galoppeert ze op de volte, dan geeft Tamara een commando en gaat ze terug naar de draf. In de overgang valt ze er bijna af. Tamara steekt haar hand op en roept iets. Marcel gaat over in stap en Annet kan haar evenwicht terugvinden.

'Ik ben benieuwd of ze ook nog rechtsom gaat galopperen,' zegt Donna.

'Ik denk het wel hoor!' lacht Barbara. 'Eerst op de ene hand en dan op de andere. Of het nu goed ging of slecht. Zo leren alle beginners het. Je zou je moeder eens moeten zeggen dat ze rijlaarzen koopt!' zegt ze er plotseling achteraan.

'Dat heb ik al gedaan,' antwoordt Donna kattig. 'Ze gaat ze deze week kopen.'

'Kijk!' zegt Rosa.

Annet is opnieuw in galop, nu op de rechterhand. Het gaat een beetje rommelig, maar ze valt er niet af. Na drie rondjes gaat ze weer over in draf, in stap en dan moet ze halt houden.

Rosa ziet dat ze buiten adem is. Maar ze lacht naar Tamara en wijst naar Marcel. Dan is de les voorbij en mag ze haar paard droogstappen.

'Ik heb alleen nog maar op pony's gezeten,' zegt Donna. 'Nooit op een groot paard. Jij wel?'

'Zefir is vrij groot. Hij is bijna zo hoog als een paard.'

'Een E-pony,' zegt Barbara. 'Je moet maar vragen of jij de volgende keer mag uitstappen. Dan kun je voelen hoe hoog het is.'

Donna knikt. Ze trekt Rosa aan haar mouw.

'Ga je mee?'

Samen lopen ze naar de rijbaan om Marcel over te nemen en af te zadelen. Maar als ze klaar staan bij de toegangsdeur, komt Tamara naar buiten met Annet achter zich aan. Annet heeft Marcel zelf vast met beide teugels onder zijn kin.

'Tamara vindt dat ik hem ook zelf moet afzadelen,' lacht ze. 'En de volgende keer moet ik ook opzadelen van haar. Ze gaat het mij leren.'

Rosa denkt aan de vorige keer, toen zij aan Annet liet zien hoe het moest. Maar ze zegt niks.

'Wij kunnen het haar toch laten zien!' zegt Donna verontwaardigd.

Tamara schudt ernstig haar hoofd.

'Je moeder betaalt voor professionele instructie. Dat betekent les van een echte juf. Ik leer haar hoe ze moet opzadelen en niemand anders.'

Rosa loopt met Donna achter Tamara en Annet aan naar Marcels plaats.

'Jullie mogen kijken,' zegt Tamara. 'Maar je nergens mee bemoeien. Dus ook niet voorzeggen. Halt!'

Dat laatste is tegen Annet.

'Voor je je paard op de *stands* zet – de rij paarden die je hier ziet – kijk je waar hij moet worden vastgemaakt en hoe de buren erbij staan. Je wilt geen ruzie. Dus als Igor te veel naar links staat, roep je: *Igor, ga om!* Meestal snapt hij het wel en gaat opzij, maar anders buig je je voor je eigen paard langs en geeft een duwtje tegen zijn bil. Dan ga je naar de plaats waar je paard hoort, zonder aarzelen en je houdt de teugels vast, maar niet in een houdgreep. Goed zo!'

'Pfff,' doet Annet.

Tamara komt bij haar staan.

'Nu doe je het hoofdstel af. Eerst de neusriem, dan de keelriem. Ja zo!' Ze wacht even en kijkt toe terwijl Annet staat te prutsen.

'Dan schuif je het hoofdstel over zijn hoofd, maar je laat de teugel nog even over zijn hals hangen. Als hij ervandoor gaat, heb je nog iets te vertellen.'

‘Ervandoor gaat?’ vraagt Annet benauwd.

‘Marcel is een kalm paard. Hij zal niks geks doen. Bovendien staat hij op zijn stal. Daar is hij graag. Maar als je buiten bent, of op de spuitplaats, moet je er rekening mee houden dat paarden allerlei onverwachte dingen kunnen doen. Het zijn vluchtdieren. Ze kunnen wel vechten, maar dat doen ze alleen als er niks meer te vluchten valt. Dus moet je er altijd op bedacht zijn dat ze kunnen schrikken. Dan is hun eerste reactie: wegwezen! Goed. Nu pak je het halster. Ja, dat ding dat op de voerbak hangt, en dat doe je om. Dat is een beetje ingewikkeld. Ik zal het even voordoen.’

Tamara laat zien waar het paard zijn snoet doorheen moet steken en hoe Annet de gesp moet dichtklikken. Rosa en Donna kijken toe. Voor Rosa is het meer dan twee jaar geleden dat ze leerde op- en afzadelen. Voor ze echt mocht rijden, heeft ze een week les gehad op de manege, samen met andere ponykinderen, die na die week hun eerste les zouden krijgen.

‘Wanneer heb jij het geleerd?’ vraagt ze aan Donna.

‘Al voordat ik reed. Toen had ik een vriendinnetje met wie ik altijd meeging naar de manege. Zij heeft het mij geleerd.’

‘Waar is zij nu?’ vraagt Rosa. Een raar gevoel bekruipt haar. Net of er een geheime vijand is, die Donna van haar zou kunnen afpakken.

Donna haalt haar schouders op.

‘Ze is verhuisd. Maar toen waren wij al niet meer zo heel erg vriendin. Toen ik zelf ging rijden, was zij steeds jaloers. Als ik een leuke pony had, deed ze stom. Dan wilde zij daar de volgende keer op. Zeurde ze Axel helemaal gek.’

‘O!’ zegt Rosa opgelucht.

Annet heeft inmiddels het zadel van Marcels rug gehaald.

‘Kom, we brengen de spullen naar de zadelkamer,’ zegt Tamara. ‘We maken het bit schoon en dan is het klaar.’

‘Dankjewel, Tamara,’ zegt Annet beleefd. Ze klinkt heel anders dan vóór de les.

‘Hoe vond je het om te galopperen?’ vraagt Donna opgewonden als ze in de kantine achter een flesje chocomel zitten.

‘Hartstikke eng!’ zegt Annet.

‘Je deed het heel erg goed,’ zegt Rosa verlegen.

Annet knijpt in haar wang.

‘Dankjewel, schat! Ga je straks mee met ons?’

‘Rosa en ik gaan eerst nog Zefir doen,’ zegt Donna. ‘Daarna komen we naar de Os.’

Als Annet weg is, gaan ze naar de stal om Zefir te poetsen.

‘Bijt hij echt?’ vraagt Donna voor ze de box binnengaan.

‘Je moet alles héél langzaam doen,’ waarschuwt Rosa. ‘En zachtjes praten. Dan doet hij niks. En zelfs als hij naar je hapt, stelt het niets voor. Hij is een beetje knorrig. Ik denk dat het komt doordat er altijd zo tegen hem wordt geschreeuwd. Hij is eigenlijk hartstikke braaf.’

Zefir legt even zijn oren plat als Rosa en Donna tegelijk binnenkomen met hun poetsspullen.

‘Stil maar,’ fluistert Rosa.

‘Brave Zefir,’ zegt Donna met haar zachtste stemmetje.

Ze blijven doodstil staan en dan zucht de pony, alsof hij al die tijd zijn adem heeft ingehouden.

‘Ik doe eerst zijn manen, dan kun jij vast aan jouw kant zijn hoeven schoonmaken,’ stelt Rosa voor. Het is net of het echt haar eigen pony is. Donna gaat meteen aan het werk.

Rosa pakt de haarborstel met de stalen punten. Nu Gea en Laura er niet zijn, doet ze lekker wat ze zelf wil. En Zefirs manen zijn dik genoeg. Het is helemaal niet erg als ze met het borstelen een paar haren uittrekt, hij heeft er zát!

Als ze klaar zijn met poetsen en Zefirs staart mooi hebben uitgeplozen, ziet hij er echt uit als een sprookjespony.

Maar het fijnste is dat hij, al die tijd dat ze met hem bezig waren, niet één keer lelijk heeft gekeken. Met halfdichte ogen liet hij het zich allemaal welgevallen. Hij vond het wel gezellig.

Pas toen Rosa met het zadel kwam, was hij weer de ouwe Zefir en hapte hij naar de singel, terwijl Rosa de riem aanhaalde.

'Nu ben je niet meer bang van hem, hè?'

'Nee,' zegt Donna blij. 'Ik snap niet dat ze dat op zijn stal hebben geschreven.'

'Ze willen niet dat iemand anders aan hun pony zit.'

'Dat kan ik me eigenlijk wel voorstellen,' zegt Donna. 'En hij vindt het ook echt niet prettig.'

Dan slaat Rosa ineens haar hand voor haar mond.

'Weet je wat we vergeten? Die stomme hulpteugel! De Thiedemann.'

'Moet het echt?'

Rosa zucht.

'Zefir is van hen,' zegt ze treurig.

'Oké, ik haal hem wel,' zegt Donna.

'Weet jij hoe hij moet?' vraagt ze als ze terug is met de Thiedemann.

'Net als een martingaal: de dunne riem over de hals, de singel door de dikke lus en dan de clipjes van binnen naar buiten door de bitringen. Vastklikken aan een van de ringetjes die aan de gewone teugel zitten.'

Het is ingewikkeld en Zefir staat nu echt vervelend te doen, maar ten slotte zit de Thiedemann zoals hij hoort.

Rosa neemt de pony mee naar de binnenrijbaan. Donna maakt de toegangsdeur open en roept: 'Deur vrij!'

Er rijden een paar volwassenen met eigen paarden. Donna helpt Rosa met opstijgen en aansingelen.

Dan bedenkt Rosa dat ze nog vijf euro in haar zak heeft.

'Hier,' zegt ze. 'Koop maar vast iets te drinken.'

'Nee joh!' protesteert Donna. 'Ik hoef niks. Ik heb net chocomel op.'

Rosa krijgt een kleur. Ineens voelt het gek dat ze Donna geld geeft. Ze weet zo gauw niet wat ze moet doen of zeggen. Maar Donna lijkt het te begrijpen.

'Geef maar hier,' zegt ze. 'Als ik dorst krijg, neem ik wat. En anders bewaar ik het en drinken we straks samen iets. Of morgen of zo.'

'Ja!' zegt Rosa opgelucht. En dan stuurt ze Zefir de volte op, niet helemaal tot aan de hoefslag, want als je stapt terwijl andere ruiters draven moet je op de binnenhoefslag blijven, op zo'n twee meter afstand van de wand dus. De eerste tien minuten moet ze losstappen.

Eigenlijk heeft ze niet eens last van de hulpteugel. Pas als ze in draf gaat, voelt ze dat ze een ander contact met de paardenmond heeft, net of de teugel glijdt. Ze kan minder goed voelen wat ze doet. Zefir is ook lastiger dan anders, hij knarst met zijn tanden en maakt zijn mond hard. Alleen in de galop is het wel weer lekker.

Als ze klaar is met rijden en Zefir zijn hals mag strekken, weet ze niet wat ze er van denken moet.

'Hoe zag het eruit?' vraagt ze aan Donna, als ze de pony op stal hebben gezet en weer in de kantine zitten.

'Wel goed. Ik vond hem een beetje onrustig, maar dat is hij wel vaker. Toch?' weifelt Donna.

'Ik weet niet wat ik ervan moet vinden,' zucht Rosa. 'Wil jij cola?'

Terwijl ze hun cola drinken, komt Tamara de kantine in. Ze loopt recht op Rosa af.

'Waarom reed jij met een Thiedemann?' vraagt ze met een boze stem.

Rosa schrikt.

'Dat moest,' stottert ze. 'Van Gea en Laura.'

'Onzin,' zegt Tamara. 'Je reed veel netter zonder dat ding.

Een hulpteugel kan nuttig zijn, maar hier heb jij niks aan.'

Rosa weet niet wat ze moet zeggen.

'Maar als ze hem niet omdoet, krijgt ze moeilijkheden met die zussen,' valt Donna in.

'Hmm.' Tamara trekt een rimpel in haar neus.

'Hang hem maar om en doe de clipjes aan elkaar om zijn hals. Dus niet aan de ringetjes op de teugel. Als een van die twee zussen onverwacht voor je neus staan, zeg je maar dat je dat van mij moest.'

Rosa knikt. Tamara zet haar handen in haar zij.

'Al die spullen, die bijzetteugels, riemen en touwen om die beesten in de krul te sjorren, dat is allemaal rotzooi. Mijn vader zei altijd al: waar de rijkunst ophoudt, begint de zadelmaker.' Dan draait ze zich om en loopt de kantine uit.

Rosa en Donna kijken elkaar aan en schieten in de lach.

Rosa voelt zich helemaal warm worden. Als Tamara aan haar kant staat, hoeft ze nooit meer bang te zijn.

Het eetcafé

Het eetcafé is helemaal veranderd. Aan de muren hangen kersttakken en in de hoek naast de toiletten staat een grote kerstboom. Aan de bar zitten mensen en er zijn ook al tafeltjes bezet.

Donna groet alleen de roodharige barkeepster: 'Hoi Emma!'

'Hai meiden!'

Annet is in de keuken.

'Heb je lekker gereden?' vraagt ze aan Rosa.

'Gaat wel,' zegt Rosa. 'Ik moest met de Thiedemann en dat voelde een beetje raar.'

'Wat is dat dan?'

Rosa legt uit wat de bedoeling is van zo'n teugel.

'Je kan hem gemakkelijker rond rijden.'

'Wat is rond rijden?'

'Dat hij aan de teugel loopt,' zegt Donna.

'Dat hij zijn hals buigt,' voegt Rosa toe. 'Dan kan hij zijn rug niet wegdrukken en zit je ineens heel lekker.'

'Eigenlijk trek je hem met zo'n ding met geweld in de krul,' vindt Donna.

Annet begrijpt het nog niet helemaal, maar het is al heel wat dat ze luistert. Dat doen de meeste volwassenen niet.

'Ik heb een karweitje voor jullie,' zegt ze. 'Willen jullie de aardappelen in partjes snijden? Ik moet even nieuwe olie uit de kelder halen. Ik kom zo terug en dan ga ik de patat voorbakken.'

Ze doet één aardappel voor en even later zitten Donna en Rosa allebei met een mes schijfjes te snijden, niet te groot, niet te klein maar precies zoals Annet het heeft voorgedaan. Je kunt zien dat Donna vaker in de keuken heeft geholpen.

'Ik kan het niet zo snel!' klaagt Rosa.

'Geeft niks,' troost Donna. 'Ik kon het eerst ook niet snel. Je leert het vanzelf.'

'Hoe lang hebben jullie het eetcafé al?'

Donna heft haar handen.

'Het is niet van ons! Het is van een man, die 's avonds wel eens langskomt. Hij staat een enkele keer achter de bar, maar meestal komt hij alleen kijken of alles goed gaat. Mijn moeder doet de keuken vijf dagen in de week en soms vier. Er is nog een kokkin. Die is zo leuk. Ze is hartstikke dik, want ze proeft alles. Dat doet mijn moeder nooit.'

'Hoe weet ze dan dat het lekker wordt?'

'Weet ik niet. Ze voelt het.'

Ze werken een poosje zwijgend door. Dan komt Annet terug en werpt een blik op de pan met schijfjes.

'Jullie zijn lekker opgeschoten! Willen jullie vast een kopje soep?'

Ze pakt een enorme lepel en schept twee kommetjes vol.

'Nog twee aardappelen,' zegt ze, terwijl ze de soep neerzet. 'Dan is het wel genoeg.'

Terwijl Donna en Rosa eten, pakt ze een mand met sperziebonen en haalt ze met snelle bewegingen af.

Weer sperziebonen, denkt Rosa, maar dat durft ze niet hardop te zeggen. Annet heeft gezien dat ze keek en lacht.

'In een eetcafé eet je andere dingen dan thuis. De mensen mogen kiezen uit biefstuk, een karbonaadje als ik dat heb, zalm of de dagschotel. Ik maak ook wel stamppot in de winter. Maar de groente is bijna altijd dezelfde: boontjes of sla. Een enkele keer maak ik broccoli of bloemkool. Zo gaat dat hier.'

Rosa knikt.

'Heb je al geprobeerd pasta te maken?' vraagt Annet.

'Nog niet. Mijn ouders waren steeds thuis.'

'Goed zo,' knikt Annet.

Ze staat op en gaat de voorbereidingen doen voor het avondeten van de gasten.

'Jullie krijgen zo meteen patat,' belooft ze. 'En een stukje zalm. Lust je dat?'

Rosa heeft geen idee, maar ze knikt.

'Gaan jullie maar een spelletje doen, dan kan ik rustig doorwerken.'

'Wil je rummikuppen?' vraagt Donna.

'Goed,' zegt Rosa.

Ze doen drie spelletjes, dan zet Annet voor allebei een bord neer. Verder zien ze haar niet meer, want ze heeft het verschrikkelijk druk.

'Ik wist niet dat het zoveel werk was,' zegt Rosa. 'Blijf jij altijd de hele avond?'

'Nee, ik ga straks naar huis, televisie kijken.'

'Ben je dan helemaal alleen?'

'Ja. Maar dat ben ik gewend.'

'Ik ook,' zegt Rosa.

En dan kijken ze elkaar even aan. Hun levens lijken veel meer op elkaar dan ze eerst dachten.

Onderweg naar huis ziet Rosa op de torenklok dat het negen uur is. Er staat een koude wind, maar als ze hard trapt, is ze gauw thuis. Haar moeder is vast al terug uit de sportschool. Het licht in de flat brandt inderdaad.

'Ha, daar ben je!' zegt haar moeder als ze de kamer binnenkomt. 'Ik begon me al ongerust te maken. Waar was je?'

'Bij Donna.'

'O ja, dat is je vriendin, hè? Je wordt groot, schat, je hebt al een heel eigen leven.'

'Waar is papa?'

'Die is onderweg. Hij belde net dat hij vroeg thuiskomt.'
De televisie staat aan. Rosa gaat naast haar moeder op de bank zitten met haar voeten onder zich gevouwen.
'Vertel eens over Donna,' nodigt haar moeder uit. 'Ken je haar van school of van de manege?'
'Van de manege.'

'Waar woont ze?'
'Dat weet ik niet,' antwoordt Rosa verbaasd. Ze heeft er helemaal niet aan gedacht om het te vragen.
'Waar ben je dan geweest?'
'In het eetcafé waar haar moeder werkt. Ze is kokkin.'
'En zit dat meisje dan avond aan avond in het café?'
'Mmm,' doet Rosa vaag. Op de televisie is een programma over Afrika. Een vrouw met een kleurige doek om haar hoofd laat een gevlochten mand zien.
'Zijn haar ouders gescheiden?' vraagt haar moeder.
Rosa kijkt op.
'Ja. Haar vader woont ergens anders, met een vriendin. Zij heeft twee kinderen die bij hen wonen. Die zijn wel lief, ze zijn nog klein.'
Haar moeder schudt haar hoofd.
'Zielig,' zegt ze.
'Die kinderen?' vraagt Rosa verwonderd.
'Nee, dat meisje. Jouw vriendinnetje.'
Rosa haalt haar schouders op.
'Oma zegt wel altijd dat wij niet goed voor jou zorgen,' gaat haar moeder verder. 'Maar wij zijn niet gescheiden. En als we thuis zijn, is het gezellig. Met zijn drietjes.'
Rosa heft haar hoofd met een ruk op.
'Ik vind het helemaal niet zo leuk als we met z'n drieën zijn,' zegt ze boos. 'Want dan praten papa en jij almaar met elkaar. Ik ben het liefst met één tegelijk.'
'Nou nou,' zegt haar moeder geschrokken. 'Zo erg zal het toch niet zijn? Nou ja, ik ben blij dat je thuis bent, want ik

zat me eigenlijk een beetje te vervelen bij die televisie. Wil je wat drinken? Zal ik thee maken?'

'Lekker,' knikt Rosa. Maar ze zet de televisie niet uit.

Dan klinkt het geluid van de voordeur die open gaat en komt haar vader thuis.

'Heerlijk warm is het hier!' zegt hij handenwrijvend terwijl hij de kamer binnenkomt. 'Het is me toch koud buiten!'

'Wil je thee?' vraagt Rosa's moeder terwijl ze hem een kus geeft.

'Nou en of! Zo!' zegt hij en laat zich naast Rosa op de bank vallen. 'Wat heb jij allemaal meegemaakt vandaag?'

'Ik was op de manege,' zegt Rosa. 'En daarna met Donna mee naar het eetcafé.'

'Kom jij in cafés?'

'Het is een éétcafé,' verbetert Rosa. 'En wij zitten niet in de bar. Wij helpen in de keuken. De moeder van Donna is kokkin.'

'Leuk,' zegt haar vader, terwijl hij de afstandsbediening pakt.

'Vind je het erg als ik even naar de sport kijk?' vraagt hij verontschuldigend.

'Nee,' zegt Rosa. Ze staat op en slentert naar de keuken. Haar moeder heeft net thee gezet. De kopjes staan op een blad.

'Breng dat maar naar binnen,' wijst haar moeder.

'Wat doen wij met kerstmis?' vraagt Rosa.

'We slapen uit. En dan gaan we naar oma en opa Apeldoorn. Daar lunchen we en dan gaan we niet te laat naar huis, zodat we nog even een uurtje voor onszelf hebben.'

Oma en opa Apeldoorn heten zo, omdat ze daar wonen. Dat is tamelijk ver weg, dus ziet Rosa hen niet zo vaak. Maar met belangrijke feesten en met verjaardagen gaan ze naar hen toe.

Rosa pakt het blad met de kopjes en loopt voor haar moeder uit naar de woonkamer.

Haar vader kijkt naar een schaatswedstrijd.

'Ha daar is de thee!' roept hij vrolijk.

'Rosa en ik hadden het net over de eerste kerstdag,' zegt haar moeder. 'We moeten even naar mijn ouders, maar we hoeven niet zo vroeg te gaan. Als we daar om een uur of één zijn, is het goed.'

'Niet zo vroeg!' Rosa heft haar handen. 'Ik moet eerst naar de manege.'

'Waarom?'

'Ik moet op Zefir rijden.'

'Waarom doen die meisjes dat niet zelf?'

'Die zijn er niet. Ze zijn naar hun familie.'

'Nou, jij moet ook naar je familie.'

'Maar het is al afgesproken!' Rosa kijkt haar moeder wanhopig aan. Wat doet ze vanavond moeilijk! Eerst over gescheiden ouders en nu weer over familie.

'Wat is de moeilijkheid?' vraagt haar vader.

Rosa en haar moeder beginnen tegelijk te praten.

'Ik moet rijden, dat heb ik beloofd,' zegt Rosa.

'Ik vind dat we op kerstochtend maar eens samen thuis moeten zijn,' zegt haar moeder.

'Maar we hebben niet eens een boom!' roept Rosa uit.

'Als ze beloofd heeft voor die pony te zorgen, dan moet ze dat nakomen,' beslist haar vader. 'We hebben de rest van de dag om kerst te vieren. En de dag erna nog eens.'

'Goed dan,' zucht haar moeder. 'En nou moet jij maar eens gaan slapen, Roos, het is laat.'

Als Rosa in bed ligt, komt haar moeder nog even welterusten wensen. Ze gaat op de rand van het bed zitten.

'Vind je het jammer dat wij geen boom hebben?'

'Een beetje. Het staat zo gezellig.'

'Maar een boom is zo'n gedoe.'

'Leuk gedoe,' zegt Rosa.

Haar moeder streelt door haar haren.

'Misschien heb je wel een beetje gelijk. Volgend jaar doen we een boom.'

'Een echte.'

'Mag het niet een heel leuke plastic boom...' piept haar moeder.

'Néé,' zegt Rosa streng. 'Een echte. Met een trompetje erin.'

'Goed schat! En nu slapen.'

Als haar moeder de kamer uit is, denkt Rosa aan wat Donna heeft verteld over haar vader. 'Het was helemaal niet erg, dat ze uit elkaar gingen,' zei ze. 'Want mijn ouders praatten niet meer met elkaar. Als ze iets tegen elkaar moesten zeggen, vroegen ze het aan mij. Ik leek net een postbode. Ik had in het begin helemaal niet gemerkt dat mijn vader ergens anders woonde. Hij kwam steeds thuis en dan ging hij 's avonds weer weg, maar dat deed hij toch al. Maar op een dag moest ik naar hem toe. Dat was in een ander huis. Daar zat die vriendin met twee kinderen. Die waren toen drie en vijf. Ik begreep er niets van. Toen vertelde mijn vader dat hij voortaan bij hen bleef wonen.'

'Waarom had jouw moeder je niks gezegd?' had Rosa gevraagd.

'Ze heeft het wel gezegd, maar ik denk dat ik haar gewoon niet begreep. Ze zei dat papa in een ander huis was gaan wonen en dat hij mij graag wilde zien. En dat hij verliefd was. Dus ze had het wel gezegd, maar ik wist niet dat verliefd betekende dat die vriendin er altijd zou zijn als ik kwam.'

Rosa denkt na hoe het zou zijn als zij alleen met haar moeder zou wonen en om de veertien dagen bij haar vader op bezoek zou gaan. In een huis met een andere vrouw met kinderen.

Ineens heeft ze spijt dat ze telkens zegt dat ze haar ouders liever één voor één ziet. Dat is natuurlijk helemaal niet leuk! Ze springt uit bed en rent naar de kamer.

Haar ouders zitten naast elkaar bij de televisie. Ze drinken wijn en er staat een schaaltje olijven.

'Ik geloof dat ik het toch het leukste vind als we met z'n drieën zijn,' zegt Rosa.

Haar ouders kijken haar stomverbaasd aan.

'Op de eerste kerstdag?' vraagt haar moeder.

'Nee, altijd. Dat jullie niet gescheiden zijn.'

Haar vader schiet in de lach.

'Lieve meid, ik heb nog nooit een leukere vrouw ontmoet dan je moeder. Maak je geen zorgen!'

'Wij blijven bij elkaar,' belooft haar moeder. 'Kom nog maar even bij ons zitten. Lust je een olijf?'

Rosa trekt een vies gezicht. Maar ze gaat wel bij ze zitten, tussen hen in. Het is net of ze weer klein is, een jaar of vijf, schat ze.

Privéles

'Wat ben jij vroeg!' zegt Tamara als Rosa de volgende ochtend de kantine binnenstapt. 'Je hebt toch pas om drie uur les?'

'Het is toch vakantie?'

'Ja ja, dat weet ik wel. Ik heb alleen niet zoveel werk voor je. Kun je jezelf een beetje vermaken?'

'Ik moet Zefir doen,' zegt Rosa trots.

Tamara zet haar handen in haar zij.

'Wat wil je met hem gaan doen?'

'Is er straks vrij rijden in de binnenmanege?'

'Niet voor pony's,' zegt Tamara. 'Dat is te lastig voor de volwassenen met eigen paarden. Jullie, ponymeiden, lopen te veel te mutsen.'

Rosa krijgt een kleur. Ze is helemaal niet van plan te gaan mutsen.

'Ik kwebbel niet. Ik ga echt rijden.'

'Ja meisje, dat weet ik wel. Maar ik kan geen uitzonderingen maken. Weet je wat?'

Tamara steekt een vinger op.

'Ik zet jou met een pot bijenwas in de kantine. Dan kun je de hoofdstellen van de manegepony's invetten. Kun je dat netjes?'

Rosa knikt aarzelend. Wanneer moet ze dan rijden?

'Niet zomaar riempjes losmaken,' gaat Tamara verder. 'Als je ergens niet bij kunt met de poetsdoek, goed kijken hoe een riempje vastzit en daarna pas openmaken. En meteen weer vastdoen!'

Rosa belooft het.

'Als je klaar bent, mag je het zeggen. Dan zadel je je pony

en krijg je een halfuurtje privéles. Omdat je mij altijd zo goed helpt.'

Privéles! Rosa knikt blij.

Even later zit ze in een hoek van de kantine achter een stapel hoofdstellen en een grote pot vet. Zorgvuldig poetst ze de teugels en alle riempjes van het hoofdstel die samen het bit op zijn plaats houden.

Niemand let op haar. Ook de volwassenen niet, die aan de bar zitten te praten.

'Ik ga altijd vroeg,' hoort ze de een zeggen, 'dan is er tenminste niemand.'

'Ik was er!' zegt de andere.

'Van jou heb ik geen last. Jij rijdt goed en je kent de regels die in de rijbaan gelden. Maar die kinderen!'

'Die vreselijke ponykinderen!' vult de ander aan.

'Ze karren overal dwars doorheen en ze trekken zich nergens wat van aan.'

'Weet je wat me laatst overkwam?' vertelt de tweede. 'Het was nog voor de kerstvakantie, maar het was zaterdag. Dan stikt het ook altijd van die mormels. Ik reed extra vroeg, nog voor de lessen begonnen. Rijdt er zo'n meisje, nou, ik denk dat ze nog geen zestien was. Heeft een prachtige pony, zo'n Haflinger.'

Rosa heft haar hoofd met een ruk op. Dat moet Zefir zijn geweest, Zefir met Laura. Laura is vijftien. Maar die rijdt toch bijna nooit in het weekend? Rosa maakt zich zo klein mogelijk om maar vooral niet op te vallen.

'We waren met een stuk of zeven mensen, dus niet eens zo gek veel. Maar die meid reed almaar tegen de anderen in. Als wij met wat meer zijn, spreken we toch af om tegelijk van hand te veranderen? Dan heb je het minst last van elkaar. Dat hadden we nu ook weer gedaan. Maar zij deed er niet aan mee. *"Ik maak liever zelf uit hoe ik rij!"* zei ze. Nou hoe vind je dat?'

De andere vrouw valt haar bij.
'Ik ken dat meisje wel. Ze heeft nog een zus. Die is ook zo erg.'
'Ik geloof dat er nog een zusje is. Die zie ik ook wel eens met die pony.'

'Dat is een vriendinnetje, geen zus, geloof ik. Dat is wel een aardig meisje. Maar die andere twee!'
'Ze zijn altijd tegen dat beest aan het gillen.'
'Sommige ruiters...' Ze maakt haar zin niet af.
Rosa zou wel onzichtbaar willen zijn. Ze moet er niet aan denken wat er gebeurt als de vrouwen merken dat zij heeft zitten luisteren.
Maar ze hebben niets in de gaten. En als Rosa klaar is en muisstil de kantine uit sluipt om Tamara te vragen waar ze de hoofdstellen heen moet brengen, letten ze ook niet op haar.
'Heb je ze allemaal af?' vraagt Tamara. Ze heeft de zadelkamer opgeruimd en legt de schabrakken die op een rek hangen recht.
'Allemaal,' knikt Rosa.
'Zadel dan gauw je pony op, niet te lang priegelen. Ik zie je over tien minuten in de binnenrijbaan. En géén hulpteugels, alsjeblieft.'
'En de hoofdstellen?'
'Die haal ik wel terwijl jij opzadelt.'
Rosa is zo opgewonden dat ze haar allereerste privéles krijgt, dat ze de grootste moeite heeft kalm te zijn in Zefirs stal. Om te zorgen dat hij niet kribbig of zenuwachtig wordt, beweegt ze extra langzaam.
Ze maakt alleen zijn hoeven schoon. Poetsen is niet zo belangrijk, want hij heeft toch een deken op. Ze doet alleen de plek waar het zadel komt te liggen. Daar mag geen opgedroogd zweet zitten, anders krijg je wondjes. *Drukkingen*, heet dat.

Binnen tien minuten is ze klaar en komt ze met hem de binnenbak in.

'Deur vrij!' roept ze zacht.

Niemand geeft antwoord, maar de mevrouw die op de hoefslag rijdt, maakt ruimte voor haar.

'Wel altijd even *deur vrij* roepen hoor!' zegt ze kattig, terwijl Rosa naar het midden van de rijbaan loopt.

Tamara is er nog niet. Er rijden vier amazones.

'Er mogen geen pony's op dit uur!' roept een wat ouder meisje naar Rosa. 'Ponyverbod!'

De anderen lachen.

Op dat moment komt Tamara binnen.

'Dit ponymeisje krijgt privéles,' zegt ze tegen de vier amazones. 'Kom jongedame, stijg eens op.'

Tamara begint met de stap. Ze leert Rosa hoe ze heel rustig de teugels korter moet maken en vooral niet mag trekken. En het is al heel gauw trekken, vindt ze.

'Je moet méégaan met de mond van je pony!'

Telkens krijgt Rosa dezelfde aanwijzing: 'Smakelijk!' roept Tamara. 'Je moet het bit smakelijk maken, zodat je pony er graag op wil kauwen.'

In draf laat ze Rosa wat minder hoog lichtrijden.

'Maak gebruik van de beweging van je paard. Je hoeft maar een heel klein stukje uit het zadel te komen, juist ja!'

Zefir loopt zo soepel als Rosa hem nog nooit heeft meegemaakt. Het lijkt wel of hij alles begrijpt wat Rosa wil. Ze hoeft maar een heel klein duwtje met haar kuit te geven en de pony gehoorzaamt.

Het halve uur gaat veel te snel.

'Laat hem maar even de hals strekken en stap hem droog. Hij heeft genoeg gedaan voor vandaag.'

Rosa buigt zich voorover om Zefir op zijn hals te kloppen en door zijn manen te aaien. Zijn vel is een beetje vochtig. Hij heeft echt zijn best gedaan. Ze zadelt hem af en haalt een halster.

'Ga je mee naar de spuitplaats?' vraagt ze.

De vorige keer, met Donna, had ze het hoofdstel om gelaten. Als Zefir bang zou zijn van de waterslang of onderweg een sprongetje zou maken, had ze wat meer te vertellen. Maar nu vertrouwt ze hem. Een enkel halster is vast genoeg.

Zefir loopt braaf mee. Op de spuitplaats maakt ze het halstertouw vast aan de ring en spuit zijn benen af. Dan brengt ze hem terug naar zijn box.

Er zijn intussen veel kinderen op stal. Sommigen zijn met hun pony bezig, maar er zijn er ook een paar die niet in de manege thuishoren. Ze hebben geen rijkleding aan. Ze zijn aan het stoeien en schreeuwen. Dat mag eigenlijk niet, maar er is geen volwassene om het te verbieden. Tamara is niet meer in de buurt. Die heeft het druk met andere dingen.

Rosa blijft aarzelend staan. Drie jongens van een jaar of negen zitten een kleine jongen achterna. Hij loopt vlak langs de stands waar de pony's staan, ook vlak langs Dorrit, die met één been klaar staat om te trappen. De jongens hebben niets in de gaten, maar Rosa wel.

'Kijk uit!' roept ze. Maar het is al te laat. De laatste van de achtervolgers heeft een trap gekregen. Hij gilt het uit. Het spel is meteen afgelopen.

'Hij heeft geschopt!' klaagt de jongen, terwijl hij over zijn dij wrijft en keihard huilt.

'Jullie moeten niet vlak langs een pony rennen,' zegt Rosa. 'Je mag helemaal niet rennen.'

'Dat beest is vals,' schreeuwt de jongen met toegeknepen ogen.

'Jij bent vals,' zegt Rosa ineens driftig. 'Jullie gingen met zijn drieën tegen dat kleine jongetje.'

Het jongetje heeft niks gezegd. Hij staat met een bang gezicht tegen een boxdeur aangedrukt.

'Wie zijn jullie?' vraagt Rosa. 'Rijden jullie hier?'

‘Mijn moeder rijdt hier,’ zegt de gewonde jongen. Hij wijst naar de binnenbak.

‘En jullie?’

‘Vrienden,’ mompelen de twee andere jongens.

Rosa kijkt naar het bange jongetje. Ineens ziet ze wie het is: Bertil!

‘Jij heet toch Bertil?’ vraagt ze. ‘Ik heb jou laatst geholpen, met Caprilli.’

‘O ja!’ Bertil kijkt zenuwachtig om zich heen.

‘Ben je alleen?’

‘Met mijn buurjongen, Sem.’

‘Onze Sem? Is dat jouw buurjongen?’

Bertil geeft geen antwoord, maar op dat moment komt Sem de stal in.

De grotere jongens lopen gauw weg. De gewonde jongen probeert achter hen aan te gaan, maar hij is een beetje mank.

‘Wacht!’ zegt Rosa streng. Hij blijft staan.

‘Je moet ijs op die buil doen,’ zegt ze. ‘Dan wordt je been niet zo blauw. Ga maar naar de kantine. En geen jongens meer pesten die kleiner zijn dan jij.’

‘Zaten ze je te pesten?’ vraagt Sem aan Bertil. Hij knikt.

‘Ze liepen te keten,’ zegt Rosa. ‘En herrie te maken. En ze zaten hem achterna. Maar toen liep die ene jongen achter Dorrit langs en die haalde uit.’

Sem schatert. ‘Dorrit? Gaf ze die gozer een *hoefkatoef*? Eindelijk doet ze eens iets waar je wat aan hebt!’

Nu hij Sem zo ziet lachen, ontspant Bertil zich ook een beetje. Sem wijst naar hem met zijn duim.

‘Ik had hem meegenomen. Hij is gek op pony’s, maar bij hem thuis heeft niemand tijd om hem naar de manege te brengen.’

‘Rij je nog wel?’ vraagt Rosa.

Bertil knikt.

‘Als zijn ouders tijd hebben om hem te brengen,’ zegt Sem. ‘Hoe kwam het dat die jongens je achterna zaten?’

Bertil kijkt van hem weg.

‘Je had bij mij moeten blijven,’ zegt Sem hoofdschuddend.

Rosa kijkt op haar horloge.

‘Je bent vroeg,’ zegt ze tegen Sem.

‘Ik moet Simba voor hem opzadelen. De beginnersles begint zo. En het is niet zo vroeg. Dat andere meisje van ons lesuur is er ook al. Dat meisje met dat zwarte piekhaar.’

‘Donna?’

‘Ze zit boven.’

Rosa fronst haar wenkbrauwen. Waarom is Donna niet naar de stal gekomen? Ze weet dat Rosa er is. Ze heeft het gisteren nog tegen haar gezegd. Misschien heeft Donna lopen zoeken, toen ze met Zefir op de spuitplaats was.

‘Ik ga even kijken,’ zegt ze en loopt naar de kantine. Daar zit Donna met een sip gezicht aan een tafeltje. Niet zoals altijd bij de ruit, maar in het hoekje waar Rosa daarnet nog hoofdstellen zat te poetsen.

‘Wat is er?’ vraagt Rosa bezorgd, terwijl ze een stoel bijschuift.

‘Ik moet drie kerstdagen naar mijn vader.’

‘Er zijn er maar twee,’ zegt Rosa beduusd.

‘Ik moet er de avond tevoren al heen. En dan twee nachten logeren. Ik heb er echt geen zin in!’

Rosa kijkt haar onderzoekend aan. Ze heeft Donna nog niet eerder verdrietig en boos gezien, alleen maar vrolijk. Ze weet niet goed wat ze moet zeggen.

‘Hoe erg is het?’ vraagt ze voorzichtig.

‘Die vriendin is vreselijk!’ barst Donna uit. ‘Ze zit mij de hele tijd te commanderen: *Ga jij eens even je kamer opruimen! Ga jij eens even met de kleintjes spelen.* En als ik bij mijn vader zit, komt zij ook. Dan begint ze van alles te vragen over mijn moeder en hoe zij mij opvoedt. En ik kan ook niet naar de manege. Want een van de kleintjes is allergisch voor dieren.' De tranen staan in Donna's ogen.

'Kun je niet na één dag zeggen dat je heimwee hebt?' vraagt Rosa.

Donna kijkt haar nadenkend aan.

'Dat is misschien een idee. Eigenlijk zou ik de halve vakantie bij hen moeten zitten. Dat is zo afgesproken bij de scheiding. Maar dat vindt zij gelukkig teveel, dus dat hoeft niet.'

Zij is de vriendin, begrijpt Rosa. Ze wil eigenlijk iets vragen, maar ze weet niet of Donna dat vervelend vindt.

'Eh...' begint ze. 'Je vader...'

'Wat?'

'Is jouw vader aardig?' Ze wordt meteen knalrood.

'Mijn vader is hartstikke aardig. Hij heeft een eigen kamertje voor mij ingericht en hij wil altijd van alles voor mij kopen. Maar dat mag hij niet. Van háár.'

'Hoe ziet zij eruit?'

Donna friemelt aan haar rijlaarzen.

'Ze is wel mooi, slank,' geeft ze toe. 'Blond. Maar dat is nep. Ze verft het. En ze draagt veel make-up.' Ze zucht en kijkt naar de grond.

Dan zegt ze: 'Mijn vader was vroeger lang niet zo lief als nu. Hij zei nooit wat. Maar sinds hij weg is, vraagt hij altijd hoe het met me is. En of we hulp nodig hebben en zo. Ik heb hem gevraagd of hij rijlaarzen voor mijn moeder wil kopen.'

'Hij wil jou toch ook een pony geven?'

Nu is het Donna's beurt om te blozen.

'Nou ja, dat zou ik graag willen. Maar mijn moeder wil niet dat hij cadeautjes koopt. Zij wil alles zelf kunnen. Ik denk ook niet dat ze rijlaarzen van hem zou aannemen.'

'Ik vind het wel jammer dat je gaat logeren. Het is hier net zo leuk.'

'Ja,' zegt Donna treurig. Het is even stil.

'Op wie rijden we eigenlijk?' vraagt Rosa ineens. Anders is dat het eerste waar ze naar kijkt op woensdagmiddag.

Donna springt op.

'Ik heb nog niet eens gekeken!' roept ze.

Achter Caprilli's naam staat *Rosa*, achter die van Mirke *Donna*.

'Ik heb al heel lang niet op Mirke gereden,' zegt Donna.

'Ik ook niet,' zegt Rosa. 'Ze is nogal fel, geloof ik.'

'Ja, maar ze bokt niet.'

Doordat ze met Donna heeft zitten praten, heeft Rosa de beginners helemaal niet geholpen met opzadelen. Maar het was misschien niet nodig. In de vakantie zijn er grotere kinderen genoeg om bij te springen.

De les is al begonnen. Ze blijven even voor de ruit staan kijken hoe het gaat.

Het hele groepje kan inmiddels goed lichtrijden. Dan laat Axel ze in het midden van de bak halthouden.

Een voor een moeten de pony's een stukje stappen, een stukje draven, weer een stukje stappen en weer een stukje draven. Dat lijkt gemakkelijk, maar dat is het niet. Pony's willen niet in hun eentje lopen. De meeste ruitertjes krijgen het niet eens voor elkaar om hun pony in beweging te krijgen. Axel helpt ze met de lange zweep. Bertil doet vreselijk zijn best, maar Simba sukkelt maar wat.

'Kom!' zegt Donna.

Ze gaan naar de stal.

Rosa heeft al een poos niet op Caprilli gereden. Hij is erg lief, maar ook een beetje onverschillig. Dat komt doordat hij zo vaak voor beginners wordt ingezet. Mirke is heel anders. Zij kan soms een beetje gek doen. Vooral als ze in galop aan moet springen, geeft ze vaak een raar gilletje en maakt dan een zijsprong. Als je dat niet weet, kun je zomaar van haar rug vallen. Dat is Rosa ook wel eens overkomen.

Caprilli blijft altijd even lief, maar het is erg moeilijk om hem aan het werk te zetten. Rosa heeft een hekel aan slaan, maar ze kan maar beter een zweep meenemen, anders doet hij beslist niks.

Zodra de deuren van de binnenrijbaan opengaan, mogen de halfgevorderden naar binnen. Op de volte bij A stappen de beginnertjes rond. Ze hebben rode wangen van de inspanning. Rosa wuift naar Bertil, maar hij ziet haar niet. Pas als Sem zijn naam roept, kijkt hij op en lacht.

'Afwenden op de lange zijde, opstellen op het midden en afstijgen!' commandeert Axel.

Zodra de beginners weg zijn, begint de nieuwe les.

Donna rijdt voor Rosa. Ze draait zich om en zegt: 'Ik hoop dat Axel met ons ook iets leuks gaat doen.'

Het is alsof hij haar heeft gehoord.

Als ze losgereden zijn en een paar rondjes hebben gedraafd, laat hij deze groep ook op de middellijn staan. Een voor een mogen ze aangalopperen, één volte rondrijden en dan weer terugkomen bij de groep.

Het is moeilijk. Dorrit maakt er een kermis van. Ze wil niet bij de groep weg en bokt een paar keer flink voor Sem haar in galop langs de hoefslag kan sturen. Rosa moet er niet aan denken dat zij op zo'n moeilijke pony zou moeten rijden, maar Sem vindt het vast leuk. Vooral nu hij weet dat Bertil bewonderend naar hem kijkt. Door de ruit van de kantine kun je hem zien zitten, met zijn armen over elkaar en met een ernstig gezicht.

Rosa herinnert zich plotseling dat zij altijd speelde dat haar verzonnen zusje naar haar keek als ze reed.

Dan wordt haar naam geroepen en moet ze Caprilli zover zien te krijgen dat hij in galop aangaat.

'Geef hem maar meteen een tikje,' raadt Axel aan.

Rosa legt haar buitenbeen achter de singel, drijft aan met haar binnenbeen en legt haar zweep tegen de hals van de pony. Caprilli blijft rustig op de middellijn staan.

'Hup!' moedigt Axel aan.

Dan denkt Rosa aan de privéles die ze vanochtend heeft gekregen. Ze gaat dieper in het zadel zitten, maakt de teugels iets strakker, legt haar benen vastberaden tegen Caprilli's flanken aan en geeft één fel tikje achter haar laars. Het is alsof de pony ineens aanfloept, als een lampje. Hij steekt zijn oren naar voren en springt moeiteloos aan in galop.

'Goed zo!' prijst Axel.

Rosa drijft vlak voor de volte nog eens extra aan en zonder fouten maakt ze het rondje af. Pas als Caprilli in de buurt van de wachtende pony's komt, wordt hij weer traag. De laatste meters valt hij uit de galop in een sloom drafje.

'Geeft niks,' zegt Axel. 'Goed gedaan, volgende, Tiptop!'

Donna is de laatste die de oefening mag doen. Mirke geeft haar hoge gilletje, wil een zijsprong maken, maar Donna drijft precies op het goede moment aan.

'Prima!' zegt Axel als ze weer terug is bij de groep. 'Allemaal aandraven en van hand veranderen!'

Aan het eind van het uur zijn de halfgevorderde ruiters net zo moe en opgewonden als de beginners het lesuur daarvoor.

'Ik heb hartstikke lekker gereden,' zegt Donna blij, als ze de pony's droogstappen. Er is niets meer van haar boze bui te zien.

Een akelige mevrouw

Op de ochtend van de eerste kerstdag wordt Rosa vroeg wakker. In huis is nog geen geluid te horen en buiten is het stikdonker. Ze rolt zich op haar rug en vouwt haar handen onder haar hoofd.

Ze is uitgeslapen en eigenlijk zou ze net zo goed kunnen opstaan. Maar ze ziet een beetje tegen de dag op. Donna is gisteren naar haar vader gegaan. De dag tevoren hebben ze elkaar ook niet gezien. Ze ging met haar moeder naar de stad om rijlaarzen te kopen. Ze belde 's avonds nog wel. Ze had in de ruitershop een cadeautje voor zichzelf mogen uitzoeken.

'Wat heb je gekozen?' had Rosa gevraagd.

'Een zilveren paardje aan een kettinkje,' zei Donna. 'Net zo een als jij hebt. Vind je dat stom?'

'Nee, juist leuk! Dan zijn we tweelingen!' zei Rosa.

Maar het gaat nog even duren voor ze als tweelingen door de manege kunnen lopen. Donna komt pas woensdag weer rijden.

Rosa rekt zich uit. Ze kan beter opstaan. Zachtjes loopt ze naar de badkamer. Haar ouders willen uitslapen. Ze poetst alleen haar tanden. Douchen doet ze straks wel, als ze uit de manege terug is.

Het is wel leuk om extra vroeg te gaan. Dan is er vast nog niemand. Ze kleedt zich warm aan. Het vriest niet, maar er staat al de hele week een koude wind. In de keuken maakt ze een boterham met pindakaas en drinkt een glas melk.

Dan legt ze een briefje op de keukentafel:

Ben naar Zefir!

Onderweg komt ze niemand tegen. Alle huizen zijn nog donker. Op de manege brandt wel een lamp boven de ingang, maar de deur is op slot. Rosa loopt om. Via de stal kun je ook binnenkomen. Die deur staat altijd open. Dat is voor de veiligheid. Als er brand uitbreekt, moeten de mensen meteen bij de paarden kunnen komen.

Toch is Rosa niet de eerste. Die vervelende mevrouw, die aan Gea had verteld dat Zefir bij de paddock was uitgebroken, is er. Ze heeft haar paard, een voskleurige ruin, uit de box gehaald en met een halster aan een ring vastgezet om hem beter te kunnen verzorgen.

'Zo, jij bent er ook vroeg bij!' groet ze.

Rosa knikt. Aarzelend blijft ze staan.

'Ik doe het licht in de binnenbak zo meteen aan, maar ik ben nog even bezig. Ga maar vast poetsen.'

Rosa kijkt naar de grond. Ze vroeg dat mens toch niet wat ze moest doen? Zonder te antwoorden gaat ze naar de box van Zefir.

Hij ligt in het stro met zijn hoofd naar de deur. Heel voorzichtig schuift ze de boxdeur open. Zefir kijkt wel op, maar hij gaat niet staan. Hij snuift zachtjes. Ze buigt zich voorover en legt een zachte hand op zijn hals. De pony laat het rustig toe. Met een langzame beweging hurkt ze neer, maar houdt zich met één hand vast aan de voerbak. Als Zefir plotseling zou gaan staan, loopt ze geen gevaar. Dan staat ze zó weer buiten. Maar hij trekt zich niets van de visite aan.

Terwijl ze door zijn manen streelt, probeert ze te bedenken met welke benen een paard ook alweer het eerst opstaat: met de voorbenen. Ze hoeft dus alleen op te letten of Zefir met zijn voorhand overeind wil komen. Daar ziet het nog niet naar uit.

Ze blijft net zolang bij hem zitten, tot ze het paard van de mevrouw door de stal hoort stappen. Dan gaat ze staan.

Zefir heeft het ook gehoord. Hij heft zijn hoofd en luistert. Dan haalt hij adem, gooit zijn hals naar achteren en zet zijn voorhoeven op de grond. Even later staat hij en schudt zich uit.

Rosa haalt de sleutel van het kastje uit de zak van haar bodywarmer en gaat de poetsspullen halen.

Als ze klaar is en Zefir heeft gezadeld, bedenkt ze dat deze mevrouw Gea en Laura goed kent. Als ze geen Thiedemann-teugel omdoet, weten die zussen dat natuurlijk meteen. Ze hóórt het gesprek al:

–Ik zag dat meisje nog, dat jullie hebben, dat magere lange kind.

–O die! Reed ze?

–Ja, dat wil zeggen: ze gaf hem wat beweging.

–Had onze pony een Thiedemann om?

–Gut, nu je het zegt, nee, ik geloof niet dat ze een hulpteugel gebruikte. Hoezo?

Rosa rilt.

Ze pakt de Thiedemann uit het kastje en loopt ermee naar de box.

Even later loopt ze met Zefir naar de binnenrijbaan.

'Deur vrij!' roept ze zo hard mogelijk.

'Nou nou, we zijn maar met z'n tweeën hoor. Je hoeft niet zo te gillen.'

Rosa zet Zefir op het midden en singelt hem na. De Thiedemann heeft ze op het eerste ringetje. Dan werkt hij eigenlijk niet, maar dat vindt ze alleen maar fijn.

'Wat doe je nu?' klinkt de stem van de mevrouw.

Rosa kijkt op.

'Waarom heb je dat ding erop hangen als je er niks mee doet?'

'O, eh, ik ga hem eerst loswerken.'

'Nee, meisje, zo heb je er niks aan. Wacht, ik help je wel even.'

De mevrouw stuurt haar paard tot vlak bij Zefir, die meteen zijn oren platlegt en hapt.

'Hou hem een beetje bij je, wil je?' zegt de mevrouw pinnig.

Rosa trekt Zefirs hoofd naar buiten, zodat hij niet kan bijten. De mevrouw springt met een lenig gebaar uit het zadel en houdt een arm om de teugel van haar eigen paard geslagen, terwijl ze de hulpteugel aan de derde ringetjes zet. Zefir kan geen kant meer uit, hij staat helemaal in de krul getrokken. Nijdig kauwt hij op het bit.

'En nu rijden,' lacht de mevrouw.

Voor Rosa is de lol eraf. Ze voelt alleen maar verzet onder zich. In plaats van de ruime passen die de pony anders neemt, dribbelt hij nu. En zijn mond lijkt wel van beton. Rosa laat de teugel iets meer uit haar handen glijden. Dat helpt wel, maar niet genoeg. Ze ziet dat de mevrouw op haar let.

'Drijven!' roept ze.

Rosa drijft. Zefir valt in draf. Zo goed als het kan probeert Rosa hem te laten ontspannen. Dan denkt ze aan de aanwijzingen van Tamara. Ze zorgt dat ze niet zo ver uit het zadel komt. Na een paar rondjes draf gaat ze in stap en verandert van hand. Ze neemt de binnenhoefslag, zodat de mevrouw langs haar kan rijden. Zij is nu in galop op de linkerhand.

'Hoefslag!' roept ze luid.

Geschrokken gaat Rosa nog wat meer naar binnen. Ze besluit voltes in draf te gaan rijden, eerst drie grote op de rechterhand, dan drie op de linkerhand en dan opnieuw maar steeds kleiner. Ging die mevrouw nu maar weg. Op de klok ziet ze dat ze pas twintig minuten aan het rijden is. Maar zij kwam later binnen, misschien wel bijna een halfuur later.

Dan ineens stuurt de mevrouw haar paard naar de middenlijn.

'Zo,' zegt ze tevreden. 'Wij zijn klaar. Prettige dag nog!'

Rosa's hart springt op van blijdschap. Ze geeft Zefir even een lange teugel en luistert gespannen. Als ze zeker is dat de mevrouw weg is, buigt ze zich voorover en maakt de Thiedemann los. De twee clipjes maakt ze aan elkaar vast, zoals ze het Tamara heeft zien doen.

Met een zelfverzekerde beweging drijft ze Zefir aan en geeft een tongklikje.

'Draf, Zefir!'

En dan gebeurt er een wonder. Zefir ontspant zich en draaft lekker in het rond. Als Rosa hem de volte op wil sturen, hoeft ze alleen maar te kijken waar ze naartoe wil en de pony gehoorzaamt. Ze oefent overgangen van stap naar draf, van draf naar galop en van stap naar galop. Alles gaat even moeiteloos.

Pas als de toegangsdeur opengaat en er achter elkaar drie ruiters binnenkomen, kijkt ze op de klok. Ze hebben meer dan een uur geoefend.

Ze laat de teugels door haar handen glijden en buigt zich voorover om Zefir door zijn manen en langs zijn hals te strelen. Hij laat zijn hoofd helemaal zakken tot vlak bij het zand en briest. Ze heeft nog nooit zo fijn gereden.

Naar Apeldoorn

'Waar heb jij al die tijd gezeten?' vraagt Rosa's vader boos.

'Je weet toch dat we naar oma en opa gaan?' voegt haar moeder eraan toe.

Haar ouders zitten aan de keukentafel met hun jas over de stoel gevouwen en kijken haar allebei kwaad aan. Rosa kijkt op de klok. Het is halftwaalf.

'Jullie gingen toch uitslapen?' antwoordt ze. 'Ik moest even naar Zefir.' Ze had graag willen vertellen hoe goed het ging en dat het echt net was alsof Zefir van haar was. Op de terugweg, op de fiets, verzon ze, dat ze meedeed aan een proef-op-muziek, een pas-de-deux, samen met Donna. Donna zou op Quincy rijden of op Tiptop. In haar fantasie zat iedereen die ze kent op de tribune. Het was doodstil. Je hoorde alleen de prachtige muziek, terwijl zij en Donna hun figuren reden. Er ging niets verkeerd en als ze klaar waren, zouden de mensen keihard klappen, waarna ze in galop nog een ereronde zouden maken.

Met het applaus nog in haar oren had ze de voordeur opengemaakt en nou heeft ze dit!

'Schiet nu maar op, ga gauw iets anders aantrekken, dan kunnen we weg,' zegt haar moeder. Haar vader trommelt met zijn vingers op tafel.

Ze gaat maar niet onder de douche. Snel trekt ze haar rijkleren uit en laat ze op de grond vallen. Opruimen doet ze later wel.

'En géén spijkerbroek!' hoort ze haar moeder roepen.

Een jurk. Ze moet nog ergens een groene jurk hebben, maar die is van verleden jaar. Daar past ze vast niet meer in. En in een jurk voelt ze zich altijd zo slungelig. De deur van haar kamer gaat met een ruk open en haar moeder komt met driftige stappen binnen.

'Bah, je ruikt naar paarden. Ga onder de douche, dan leg ik kleren voor je klaar. Heb je wat gegeten vanochtend?'

Rosa knikt.

'Opschieten!'

Binnen tien minuten zitten ze in de auto. Rosa kijkt verdrietig uit het raam. Van haar opgetogen stemming van zoeven is niets meer over. Haar ouders kibbelen met elkaar over de kortste weg naar Apeldoorn en over een cadeautje voor oma en opa dat niet leuk genoeg zou zijn.

'Het is Kerstmis!' zegt haar moeder. 'Dan kun je toch niet met een boek aankomen?'

'Ik zou niet weten waarom niet,' zegt haar vader. 'Een boek is altijd goed.'

'Het gaat over vliegtuigen. Wat heeft mijn moeder daaraan?'

Haar vader zwijgt.

'Krijgen wij ook cadeautjes?' vraagt Rosa.

Haar moeder draait zich om.

'Nee,' zegt ze. 'Wij doen niet aan Kerstmis.'

'Waarom gaan we er dan naartoe?' vraagt Rosa.

'Dat weet ik ook niet,' antwoordt haar vader.

'Nou, dat zal lekker zijn!' barst haar moeder uit. 'Eén keer gaan we eens naar mijn ouders in plaats van altijd maar weer naar jouw moeder. En dan zitten jullie te klagen!'

'Ik klaag niet,' zegt Rosa. 'Ik vroeg alleen...'

'Ophouden!' zegt haar vader streng. 'We gaan gezellig bij jouw ouders op bezoek. We komen daar niet als vechtende katten binnenrollen en we hebben een boek bij ons dat jouw vader leuk vindt. En je moeder krijgt al zo vaak iets van jou. En wij hoeven gelukkig géén kerstcadeautjes. Want ik zou niks weten wat ik nodig heb.'

Rosa durft het niet hardop te zeggen, maar ze zou maar

wát graag een nieuw zweepje willen, een iets langere. Voor Zefir ligt er zo'n zweep in het kastje. Het is fijn als je een heel zacht tikje achter de singel kunt geven, zonder dat je de teugels los hoeft te laten.

De rest van de weg is het stil in de auto.

Oma en opa Apeldoorn wonen niet in de stad, maar er net buiten, in een nieuwbouwwijk. Ze hebben een tuintje aan de voorkant en een iets grotere tuin achter, waar opa een werkschuurtje heeft. Daar zit hij altijd en repareert dingen die kapot zijn gegaan. Als Rosa met haar ouders het tuinpad op loopt naar de voordeur wordt er al opengedaan. Opa en oma stonden zeker op de uitkijk.

'Ha, daar zijn jullie!' roept oma blij. Ze is lang en slank en ze heeft kort grijs haar. Ze loopt op hoge hakken, waardoor ze nog langer lijkt.

'Dag Rosalinda!' groet ze. 'Hallo Lydia, dag Nico.'

Deze oma is de enige in de wereld die Rosa bij haar volle naam noemt. Opa staat er breed glimlachend naast.

'Kom in de warmte mensen, het is koud buiten!'

Als ze eenmaal binnen zijn, neemt opa Rosa's vader meteen mee naar het schuurtje.

'Ik moet je iets aardigs laten zien, jongen,' zegt hij.

Rosa's moeder en oma lopen samen naar de huiskamer, terwijl ze over een zus van oma praten, die in het ziekenhuis ligt. Rosa loopt achter hen aan. Het gaat altijd zo, als ze in Apeldoorn zijn. Oma is dolblij dat ze haar dochter ziet en opa vindt Rosa's vader leuk, omdat hij verstand van techniek heeft en graag over politiek praat. Rosa is altijd extra verlegen bij deze oma. Maar het valt niet op, niemand vraagt haar wat, behalve wanneer oma opstaat om thee te zetten.

'Wil je ook thee, Rosalinda? Of heb je liever limonade?'

'Ze lust best thee hoor!' zegt Rosa's moeder, voordat ze zelf antwoord heeft kunnen geven. Oma heeft kerstkrentenbrood bij de thee gesneden.

'Of willen jullie nu nog een echte lunch?'

'Nee hoor,' zegt Rosa's moeder. 'We gaan vanavond warm eten. Het wordt altijd te veel, met Kerstmis.'

De middag gaat langzaam. Oma heeft een boek voor Rosa geleend uit de bibliotheek. Het is een verhaal over een meisje dat op ballet wil, maar niet mag van haar moeder, omdat ze op school geen goeie cijfers haalt. Echt spannend is het niet, maar als ze net doet alsof het over paardrijden gaat en niet over ballet, valt het wel mee.

Als de mannen terug zijn uit het schuurtje schenkt opa een biertje voor zichzelf en voor Rosa's vader in, wijn voor haar moeder en voor oma. Oma zet Franse kaas op de tafel met gesneden stokbrood, een plak paté en chips.

'Wat wil jij?' vraagt ze aan Rosa. 'Appelsap?'

'Goed,' knikt Rosa.

'Schenk het maar in een wijnglas,' zegt opa. 'Dan kun je met ons proosten.'

Rosa bloost. Hij doet net of ze een kleuter is. Maar als hij haar toedrinkt, zegt ze gehoorzaam *proost!* Het is het eerste wat ze die middag zegt, behalve *dankjewel*, toen oma thee en krentenbrood voor haar neerzette.

Dan gaat opa er eens goed voor zitten.

'Zo meid, vertel je ouwe opa eens wat je allemaal doet. Heb je veel vriendinnetjes op school?'

Rosa schudt haar hoofd. 'Op school niet zo erg,' zegt ze. 'In de manege wel. Eén,' voegt ze er eerlijk aan toe.

'Nou dat is leuk,' zegt opa. 'En weet je al wat je wilt worden?'

Rosa voelt haar wangen rood worden, maar ditmaal niet van verlegenheid. Ze is kwaad. Waarom vragen volwassenen altijd van die stomme dingen, waar je geen antwoord op weet? En waarom luisteren ze nooit als je wél iets te vertellen hebt? En dan denkt ze ineens aan Annet, die wel luistert en met wie ze gewoon praat, alsof ze helemaal niet verlegen is. Ze gaat rechtop zitten en zegt luid en duidelijk: 'Ik word kokkin.'

Het is plotseling doodstil.

'Je wordt wát?' vraagt haar moeder verbaasd.

'Ik word kokkin,' herhaalt Rosa.

'Nou, het is de eerste keer dat ik daarvan hoor,' zegt haar moeder lachend. Alsof Rosa heeft gezegd dat ze fotomodel wil worden of een wereldberoemde popzangeres.

'Kun je al koken?' vraagt oma weifelend.

'Ik ben het aan het leren,' zegt Rosa waardig.

Dan lachen de volwassenen en gaan ze weer verder met hun eigen gesprekken.

's Avonds, als ze terug zijn uit Apeldoorn en in de woonkamer zitten, zakken allebei haar ouders onderuit op de bank.

'Dat was dat,' zucht haar vader.

'Zeg dat wel!' beaamt haar moeder. Ze giechelen tegen elkaar.

'We moeten nog een kerstdiner koken,' zegt haar moeder.

'Had je iets in gedachten?'

'Nee, ik heb wel een soort rollade. Die kan in de oven. En ik heb boontjes en tomaten. Verder niks. Ik had er eerlijkgezegd niet over nagedacht. Met Kerstmis eet je altijd vanzelf al veel te veel.'

Rosa heeft staan luisteren.

'Zal ik koken?' biedt ze aan.

Haar ouders kijken haar geamuseerd aan.

'Kun je dat?'

'Een beetje,' jokt Rosa.

'Van wie heb je dat geleerd?'

'Van de moeder van Donna. Zal ik nou koken of niet?'

'Welja,' zegt haar vader lachend, 'onze kokkin.'

'Weet je zeker dat je het wilt?' vraagt haar moeder nog.

'Ik bak géén vlees,' zegt Rosa.

'Oké, dat doe ik wel. Wat wil je maken?'

'Pasta,' zegt Rosa. 'Met een saus van tomaten en paprika. En boontjes.'

'Ik heb geen paprika.'

'O,' zegt Rosa beduusd.

'Dan doen we toch gewoon tomaten zonder paprika?' stelt haar vader voor.

Rosa knijpt haar ogen tot spleetjes. Ze heeft een plan.

'Maak jij maar eerst vlees,' zegt ze tegen haar moeder. 'Hoe lang doe je daar over?'

'Een uur. Maar je hebt alle tijd. Die rollade loopt niet weg als hij gaar is. Die laten we gewoon staan tot jij klaar bent met je pasta.'

'Jullie mogen niet in de keuken komen zolang ik aan het werk ben.'

Haar ouders beloven het.

Als het vlees een halfuur in de oven staat, gaat Rosa naar de keuken. Ze begint met de boontjes. Het is net als toen ze met Donna samen aan het werk was, alleen zijn het er nu veel minder. Dan zet ze water op om de tomaten in te dompelen, zodat de velletjes er gemakkelijk afgaan. Op het pak spaghetti staat hoe lang die moet koken. Maar dan heeft ze nog het probleem van de paprika. Zou Annet kwaad op haar worden als ze haar belt om raad te vragen?

Ze pakt meteen de telefoon. Anders durft ze niet meer. Ze herkent de stem van de barkeepster met het rode haar, maar ze weet niet meer hoe ze ook alweer heet.

'Ik wou Annet even spreken,' zegt ze met een klein stemmetje.

'Annet is in de keuken. Wie is dit?'

Rosa voelt dat ze geen geluid meer kan uitbrengen.

'Wacht even, ik hoor het al!' klinkt het aan de andere kant. 'Jij bent de ponyvriendin van onze Donna! Blijf maar even aan de lijn!' Emma, herinnert Rosa zich, ze heet Emma.

Een ogenblik later neemt Annet de telefoon op: 'Rosa? Is er iets niet in orde, schat?'

'Ik kook,' piept Rosa. 'Ik kook tomatensaus, maar ik heb geen paprika.'

Het is een ogenblik stil.

'Lieverd, begrijp ik het goed? Sta jij op kerstavond met je elf jaar in je eentje in de keuken?'

'Mijn ouders zijn er wel, hoor!'

'Waar zijn ze dan?'

'In de kamer.'

'En jij kookt het kerstmaal?'

'Ja,' zegt Rosa verlegen. 'En ik heb geen paprika.'

Ze hoort dat Annet iets mompelt maar ze kan het niet verstaan.

'Goed luisteren Roos! Je hebt geen paprika nodig. Kijk maar of je moeder paprikapoeder heeft, daar kun je wat van gebruiken. En groene kruiden. Geeft niet wat. Groen. En als je een uitje hebt, kun je het fijn snijden en eerst in de pan doen. Met olie. Heb je mij dat zien doen?'

'Ja.'

'Dan doe je het net zo. Vergeet niet een beetje peper en zout erin te gooien. Héél voorzichtig, niet te veel.'

Als Rosa heeft opgehangen, weet ze wat ze moet doen en wat er een halfuur later in de bakpan pruttelt, lijkt best een beetje op de saus die ze met Annet heeft gemaakt. Nu nog de boontjes.

Er wordt heel zacht op de keukendeur geklopt. Haar moeder steekt haar hoofd om de deur.

'Het ruikt zo lekker! Ik kon het niet laten om even te kijken. Hoe gaat het?'

'Goed,' zegt Rosa. Ze is helemaal buiten adem van de inspanning.

'Zal ik even in het vlees prikken?'

Rosa wenkt haar binnen.

'Je mag ook wel helpen met de boontjes,' zegt ze. 'Ik heb ze al afgehaald.'

'Waar heb je dat toch geleerd?' vraagt haar moeder verbaasd.

'In het eetcafé.'

Haar moeder kijkt haar hoofdschuddend aan.

'Je denkt dat je je eigen kind kent,' zucht ze. 'Maar dat lijkt maar zo.'

Bijpraten met Donna

Pas drie dagen na Kerstmis komt Donna terug. Rosa heeft haar erg gemist. Iedere dag is ze naar de manege gegaan, steeds heel vroeg, zodat ze zo weinig mogelijk mensen tegenkwam. Telkens heeft ze de Thiedemann om Zefirs hals geklikt en de knipjes niet aan de teugels vastgezet.

Op een ochtend was die nare mevrouw er weer. Rosa was al bijna klaar met rijden. Misschien dacht de mevrouw dat ze de hulpteugel nog maar net had losgemaakt, want ze zei niks. Zefir liep keurig met een afgebogen hals, ontspannen en vlot voorwaarts. Het zijn fijne dagen geweest, al was ze soms wel erg alleen.

Nu is het woensdag en Rosa zit ongeduldig in de kantine te wachten. Ze heeft Donna's moeder eergisteren opgebeld, allereerst om te vragen wanneer Donna terugkwam, maar ook om te vertellen dat het eten goed was gelukt.

'Echt waar? Wat goed van jou!' had Annet uitgeroepen. Ze vroeg hoe Rosa het had gedaan, welke kruiden ze in de keukenkast had gevonden en of de saus niet te nat was geworden. Of Rosa de spaghetti niet te zacht had laten worden en hoe de sperziebonen waren gelukt.

'Mijn moeder heeft de boontjes gekookt,' bekende Rosa. 'Het werd te veel tegelijk.'

'Dat is de hele kunst van het koken,' zei Annet ernstig. 'Zorgen dat alles tegelijk gaar is zonder dat je zenuwachtig wordt. Ik vind dat je het fantastisch hebt gedaan, voor zo'n eerste keer helemaal! En dan ook nog met Kerstmis.'

'O, dat maakt mijn ouders niet uit,' lachte Rosa. 'Die geven niks om dat soort dagen.'

'Hmmm,' zei Annet en het was Rosa niet zo duidelijk wat ze daarmee bedoelde.

Ze vroeg nog een keer wanneer Donna nu terugkwam.

'Ik denk pas dinsdagavond,' zei Annet. 'Ze zijn naar Limburg geweest.'

'Limburg?'

'Daar woont de familie van zijn vriendin.'

Nu was het Rosa's beurt om *hmmm* te zeggen, op precies dezelfde toon. Annet was in de lach geschoten.

'We moeten allemaal wel eens iets doen waar we niet zo'n zin in hebben,' zei ze. 'Ik had Donna even aan de telefoon en het klonk heus niet ongezellig. Ze komt woensdagmiddag rijden.'

Nu is het woensdag, Rosa zit in de kantine te wachten, maar Donna is er nog niet. Vanochtend vroeg heeft ze Zefir gelongeerd. Ze wil hem niet elke dag hetzelfde laten doen. Daarna heeft ze hem zonder hoofdstel of halster losgelaten in de paddock, zodat hij helemaal vrij was. Hij vond het leuk, want hij dartelde als een veulen in het rond, bokte en hinnikte. Na een minuut of tien was hij uitgedold en kwam hij zich melden aan het hek. Het is net of ze nu al maanden voor hem zorgt. Het is zo vanzelfsprekend om iedere dag iets te verzinnen dat ze met hem kan gaan doen!

'Rósa!'

Dat is Donna. Rosa springt op van haar stoel. Ze rennen op elkaar af en dan weten ze een ogenblik geen van beiden hoe het verder moet.

'Kom,' zegt Rosa dan, 'ik weet een geheime plaats!'

'Waar dan?'

'Ssst, kom mee.'

Ze pakt Donna bij de mouw van haar jas en neemt haar mee de stal in. Een paar beginners van de les voor die van hen zijn er al. Maar dit keer heeft Rosa geen tijd om hen te helpen. Ze wil bijpraten. Bij de box van Zefir zegt ze opnieuw *Sssst.*

Zachtjes schuift ze de deur op en neemt Donna mee naar binnen. Zefir blijft rustig staan. Rosa geeft hem een stukje wortel.

'Wat is hij braaf! Bijt hij niet meer?' vraagt Donna verbaasd.

'Nee, niet als je zelf rustig bent.'

Donna streelt hem voorzichtig over zijn neus.

'Heb je het koud?' vraagt Rosa.

'Nee.'

'Doe je jas uit, dan hebben we iets om op te zitten.'

Donna doet haar winterjack uit. Eronder zit een trui en een bodywarmer en om haar hals draagt ze een zilveren kettinkje met een paardje eraan, net zo een als Rosa heeft.

'Leuk!' Rosa laat zien dat zij haar kettinkje ook om heeft, onder haar trui.

Donna lacht blij. Rosa spreidt de jas uit op het stro, in de hoek onder de voerbak. Niemand kan hen daar vinden. Als ze met gekruiste benen in hun geheime schuilplaats zitten, laat Zefir zijn hoofd zakken en ruikt nadenkend aan allebei, alsof hij goed in zich op wil nemen wie er bij hem op bezoek zijn gekomen. Dan gaat hij weer aan zijn stro knabbelen.

'Vertel alles!' zegt Rosa.

'Jij eerst.'

'Ik heb gewoon heerlijk gereden. Zefir is hartstikke lief. Ik kan hem zelfs met alleen een halster om longeren. Op de spuitplaats hoef ik hem ook niet meer vast te binden. Dat is zo schattig! Ik houd het halstertouw vast en terwijl ik zijn benen afspuit, kijkt hij om naar wat ik doe. Wat verder nog? Ik was bij mijn ene oma en ook nog bij mijn andere oma en opa. En ik heb jouw moeder gebeld toen ik ging koken voor mijn ouders.'

'Dat vertelde ze. Ze zei dat ze het leuk vond dat ze jou iets had geleerd. Ik wil nooit koken.'

'Ik wel. Ik word kokkin.'

'Echt waar?'

'Ik denk het wel,' knikt Rosa ernstig.

'Hebben Gea en Laura nog gebeld?'

'Nee, niet één keer. Net of ze die hele pony zijn vergeten.'

'Lekker! Dan kon je gewoon je gang gaan.'

Rosa schudt haar hoofd: 'Niet helemaal.' Ze vertelt van de vervelende mevrouw die zich met haar bemoeide. En dan is het Donna's beurt om te vertellen hoe het in Limburg was.

'Vreselijk! Ik wist helemaal niet dat we daarheen gingen. Ik denk dat mijn vader het expres niet had gezegd, want hij weet ook wel dat ik daar geen zin in had. Ze kwamen er aan tafel ineens mee. Ik zat het kleinste broertje te helpen met zijn eten. *We gaan naar oma en opa*, zei ze. Ik begreep eerst niet eens wat ze bedoelde. Ik dacht dat ze het over mijn eigen oma en opa had, die van mijn vader. *O leuk!* zei ik nog. Pas toen we de volgende dag in de auto zaten en zij tegen die kleintjes begon over oma en opa, had ik pas door, dat we naar háár ouders gingen. Ik was zo kwaad! En zij natuurlijk ook. Ik gilde dat ik terug wou en toen werd mijn vader weer kwaad op mij. Dat is hij anders nooit, dus toen heb ik mijn kop maar gehouden.'

'En hoe waren die oma en opa?' vraagt Rosa ademloos.

Donna maakt een onverschillig gebaar.

'Hij is aardig. Ik hoefde gelukkig geen opa te zeggen. Zeg maar *Beer*, zei hij. Want hij heet Berend.'

'En die oma?'

'Daar heb ik niks tegen gezegd, want die was precies zoals zij. Net zo'n hoofd, datzelfde haar, maar dan grijs. En ze keek me aan alsof ze bang was dat ik mijn neus in d'r schone tafellaken zou gaan snuiten.'

Rosa schatert het uit. Zefir legt even zijn oren plat, maar dat is meer uit gewoonte dan dat hij echt schrikt of boos is.

'Ik heb met de kleintjes gespeeld, dat was wel leuk. Maar aan tafel was het heel erg. Daarvoor trouwens ook al. Zij gingen sherry drinken met olijven erbij en lekkere borrelhapjes en wij kregen limonadesiroop met water en twee mariakaakjes op elkaar met smeerkaas ertussen.'

'Bààààh, wat vies!'

'Ja, erg hè! De kinderen mochten ook niet bij hen aan tafel. Ze hadden zo'n kampeertafeltje voor ons gedekt met klapstoelen. Wij kregen vissticks en gekookte wortels en zij aten parelhoen met gestoofde druiven en aardappeltjes met room. Zij en haar moeder waren almaar met elkaar aan het praten en ik kreeg helemaal geen kans om iets tegen mijn vader te zeggen of bij hem te zitten. Als ik hem iets vroeg, was het: *Donna, de grote mensen zijn nu aan het praten. Straks komen de kinderen aan de beurt.*'

Ze doet een deftige grote-mensenstem na.

'Zei je vader dat?'

'Nee natuurlijk niet! Die zei helemaal niks, tenminste niet tegen die oma. Hij praatte alleen tegen meneer Beer.'

Rosa krijgt weer een lachbui om dat meneer Beer.

'En toen? Wat gingen jullie de volgende dag doen?'

'Wandelen,' zegt ze met opgetrokken neus. 'In Limburg moet je wandelen. Gelukkig deed dat broertje het onderweg in zijn broek, zodat we weer gauw naar huis mochten. Maar ik heb me doodverveeld.'

Aan de geluiden in de stal te horen, wordt het tijd om te gaan zadelen. Ze komen voorzichtig overeind, terwijl Zefir staat toe te kijken.

'Ik weet niet eens op wie ik rij!' zegt Donna.

'Quincy. Ik heb op het bord gekeken. En ik heb Mirke.'

Ze stappen de box uit en gaan aan het werk. Het is heerlijk dat Donna er weer is.

De les verloopt rommelig. Sem heeft voor deze keer Tiptop en een meisje dat Rosa nooit eerder heeft gezien rijdt op Dorrit.

'Waarom heeft zij Dorrit?' vraagt Donna aan Sem, terwijl ze aan het losstappen zijn.

'Dat wou ze,' zegt Sem schouderophalend. 'Ze vroeg Tamara om een pittige pony. Ze is nieuw. Ze heeft een eigen pony gehad en ze vindt alle manegepony's sloom.'

'Nou, dan kan ze lachen,' zegt Donna.

Maar het valt mee. Dit meisje rijdt goed en Dorrit krijgt geen enkele kans om haar berijdster eraf te bokken. Maar het lijkt wel of Tiptop ineens zijn kans schoon ziet om eens iets uit te proberen. Als de groep in galop gaat, maakt hij een zijsprong, waar Sem niet op heeft gerekend. Met een boogje valt hij in het zand.

'In stap!' commandeert Axel. Hij loopt op Sem af, maar die is niet zwaargewond. Hij blijft even zitten, schudt zijn hoofd en staat dan een beetje stijfjes op.

'Hoe kan dat nou?' vraagt hij.

'Tiptop heeft gisteren niet gelopen,' lacht Axel. 'Hij was niet helemaal rad.'

'Rad?'

'Hij leek een beetje kreupel, dus hebben we hem een dag rust gegeven. Maar nu is hij weer prima in orde. Ben je geschrokken?'

'Welnee!' zegt Sem. 'Ik dacht alleen dat Tiptop dat nooit deed.'

'Klim er maar gauw weer op,' zegt Axel.

Als ze op de andere hand in galop aangaan, begint Mirke te piepen en wil ook een sprongetje maken. Maar Rosa voelt het aankomen. Ze gaat dieper in het zadel zitten en stuurt de pony op een kleine volte.

'Goed gedaan!' roept Axel.

Rosa maakt nog drie voltes en dan is Mirke weer braaf.

Dorrit probeert van alles, maar geeft het op den duur op. Ze wordt zelfs een beetje langzaam.

Als de pony's aan het eind van de les met een lange teugel droogstappen, komt Axel naar het nieuwe meisje toe.

'Jij zou wel met de gevorderden mee kunnen rijden,' zegt hij.

'Ja, dat lijkt mij ook beter. Deze groep kan nog niet veel, hè?'

'Dat valt wel mee,' antwoordt Axel koeltjes.

Rosa heeft gehoord wat het meisje zei. Donna ook. Ze kijken elkaar aan.

'Afwenden op de lange zijde en halthouden op de middellijn!' roept Axel.

De les is voorbij. De volgende groep komt al binnen.

Als ze de pony's hebben afgezadeld en naar de kantine gaan, komt Sem naar Rosa toe.

'Ik hoorde dat ik volgende week weer op Dorrit kan,' grinnikt hij.

'Erg hè?' zegt Rosa. 'Wij kunnen nog niet veel.'

'Zo is dat,' zegt Sem. 'En zij kan het weten.'

Aan het tafeltje bij de ruit zit Bertil.

'Ik neem hem voortaan mee op woensdag,' zegt Sem. 'Hij mag van zijn moeder op de fiets als hij met mij meerijdt.'

Ze gaan bij hem zitten.

'Hai man!' groet Sem.

Bertil glimlacht even naar hem. Dan richt hij zijn aandacht weer op de pony's in de binnenbak.

Donna is ook klaar op stal en komt bij hen zitten.

'Is dat je broer?' vraagt ze aan Sem.

'Mijn buurjongen. Hij heet Bertil.'

'Hai!' zegt Donna maar Bertil kijkt niet op.

'Hij praat niet zoveel,' legt Sem uit. 'Hij is een beetje verlegen.'

Rosa knikt. Ze weet maar al te goed hoe dat voelt.

‘Wanneer komt Gea eigenlijk terug?’ vraagt Donna.

‘Ik weet het niet. Morgen of overmorgen. In ieder geval vóór de Nieuwjaarscarrousel.’

‘Waar zit ze?’

‘In Duitsland.’

‘Dan komt ze voor oudejaarsavond terug,’ zegt Sem. ‘Ze gaan niet op nieuwjaarsochtend uit Duitsland weg. Dat kan niet.’

Rosa trekt een lelijk gezicht.

‘Ik ben helemaal niet blij als zij er weer zijn.’

‘Misschien valt het mee,’ troost Sem. ‘Anders sturen we Dorrit op haar af. Wat jij, Bertil?’

Bertil zegt niks terug. Maar Rosa ziet dat zijn mondhoek krult.

Daar zijn ze weer

Nog voor ze een van de zussen heeft gezien, weet Rosa dat ze op stal zijn geweest. Ze is later dan anders, want ze moest haar kamer opruimen van haar moeder.

Het is al twaalf uur. Ze heeft haar fiets op slot gezet en is meteen naar Zefirs box gegaan om hem een wortel te geven. De laatste dagen hinnikte hij zodra hij haar voetstappen herkende. Maar nu staat hij met zijn oren plat, net als vroeger.

'Wat heb jij nou!' zegt Rosa verbaasd, maar ineens weet ze het: Gea en Laura zijn terug. Een van de twee is hier en ze is te lawaaierig binnengekomen. Rosa klemt haar handen om de tralies en leunt met haar hoofd tegen de schuifdeur. Het is alsof al het vertrouwen dat ze met hem heeft opgebouwd aan scherven aan haar voeten ligt.

'Zefir!' roept ze zacht.

De pony steekt voorzichtig zijn neus naar voren. Rosa geeft hem een stuk wortel. Ze kan maar beter eerst naar de kantine gaan, voor Gea of Laura haar bij de box zien.

Bij de bar staat Laura. Als ze Rosa ziet, kijkt ze op haar horloge.

'Had jij hem vanochtend gereden?'

'Nee.'

'Dat dacht ik al.'

Ze vraagt niet hoe het is gegaan, ze vertelt niet wanneer zij en Gea terug zijn gekomen en ze zegt ook niks over Zefir.

Rosa heeft hem sinds woensdag iedere dag zo mooi mogelijk gemaakt, zodat ze kunnen zien hoe goed ze voor hem heeft gezorgd. Ze heeft gisteren het kastje helemaal schoongemaakt, de poetsdoos opgeruimd en uitgesopt.

Maar het enige wat Laura zegt, is: 'Als jij hem poetst en longeert, ga ik er straks wel op.'

Rosa kijkt haar alleen aan.

'Ik weet niet of hij fris is, dus moet je hem even longeren,' voegt Laura eraan toe. 'Hij zal wel een lui leventje hebben gehad.'

'Ik heb hem iedere dag een uur laten lopen,' zegt Rosa boos.

'Ja, dat zal best. Maar dat is niet echt werken. Ik vraag wat van hem. Dan is hij natuurlijk niet zo mak als bij jou.'

Ze lacht naar Barbara, die het gesprek van een afstandje heeft gevolgd. Ze was iets in de koelkast aan het zoeken, maar ze heeft geen woord gemist.

'Je bijrijdster heeft anders netjes gereden hoor!' zegt ze.

'Ja ja,' zegt Laura. Ze rekt zich uit.

'Ik ga maar een halfuurtje,' kondigt ze aan. 'Anders krijg ik spierpijn. Ik ben altijd zó snel uit conditie!'

Rosa kan er niet meer tegen. Ze draait zich om en gaat naar Zefir. Hij hinnikt niet, maar hij hapt ook niet naar haar, als ze de deken van zijn rug haalt. Ze werkt zo rustig mogelijk, poetst hem met langzame bewegingen en praat zachtjes tegen hem.

Dan moet ze een beslissing nemen. Ze kan hem nu vast zadelen en dan de beugels omhoogschuiven en de teugels achter de keelriem vastmaken. Maar ze kan hem ook longeren zoals ze dat de afgelopen week heeft gedaan, als ze dacht dat hij misschien fris kon zijn door de kou. Met alleen een halster om, kon ze hem ook gemakkelijk houden en het voelde zo fijn. Net alsof hij wist dat ze hem vertrouwde.

Ze haalt de longe en neemt Zefir mee naar de paddock. Er ligt een lange zweep naast de omheining. Die heeft ze alleen de eerste keer meegenomen en in het midden gelegd, maar ze heeft hem niet één keer van de grond hoeven rapen. Als ze naar zijn achterhand wees met haar korte zweepje, liep hij ook. En als ze wilde dat hij in stap ging, hoefde ze haar andere hand maar op te heffen en een langgerekt *hóóó* te laten klinken, of hij ging in stap. Draf en galop, alles deed hij met een commando, net of hij mensentaal verstond.

Ze is al een kwartier bezig als ze de harde stem van Laura hoort.

'Wat denk jij dat je aan het doen bent!'

'Hóóó Zefir,' zegt Rosa rustig. De pony gaat kalm van draf over in stap.

'Wat is er?' vraagt ze.

Laura komt naar het hek.

'Wat moet dit voorstellen?'

'Ik longeer hem voor je.'

'Dat doe je toch niet aan een halster? Dat is hartstikke gevaarlijk. Moeten er ongelukken gebeuren?'

'Hij is zo rustig als wat. Ik heb het al een paar keer zo gedaan.'

'Dan heb je geluk gehad. Wat doe je als hij aan de kletter gaat?'

Met driftige stappen komt ze de paddock binnen. Onmiddellijk voelt Rosa de spanning op de lange lijn.

'Prrrr,' zegt ze kalmerend tegen Zefir. Maar die luistert niet. Hij gaat dwars staan en legt zijn oren plat.

'Nou zie je, daar heb je het al. Ga maar weg, ik maak het zelf wel af.'

Ze vloekt en grijpt de longe. Met snelle bewegingen maakt ze de lijn kort en neemt Zefir mee de paddock uit.

Rosa voelt tranen opkomen. Ze wacht tot Laura weg is en gaat dan naar de kantine. Daar zitten de twee Tantes. Ze kijken even peinzend naar haar, maar ze zeggen niets.

Ook de vervelende mevrouw is er. Ze zit aan de bar. Rosa draait zich om en gaat weer naar buiten. Ze weet niet goed wat ze moet doen. Ze kan niet naar huis, want daar zit haar moeder aan tafel breeduit foto's uit te zoeken. Als Rosa in de kamer rondhangt, kan ze haar aandacht niet bij het tijdschrift houden.

Ze had zich verheugd op de manege. Ze had kunnen rijden of anders caveletti-balkjes in de paddock kunnen neerleggen om Zefir eroverheen te laten draven. Misschien had ze zelfs een laag sprongetje kunnen bouwen van caveletti.

Ze kan gaan vegen. Dat is in ieder geval nuttig.

Bij de stallen van de pensionpaarden vindt ze een bezem en gaat aan het werk.

Na een halfuur neemt ze pauze. Eigenlijk is ze ook nieuwsgierig hoe Zefir loopt.

Ze zet de bezem bij de spuitplaats en gaat naar de kantine. Onopvallend schuift ze een stoel aan, zodat ze de binnenrijbaan kan zien.

Laura is aan het draven. Zefir loopt met een afgebogen hals, maar Rosa kan zien dat hij niet ontspannen is. Hij bijt driftig op het bit en zijn oren liggen vrij plat. Elke keer als Laura drijft, zwaait hij met zijn staart naar haar voeten, alsof hij ze weg wil jagen.

Dan geeft Laura een tik met de zweep. Zefir bokt twee keer, krijgt nog een tik en wordt de volte opgestuurd. Dan gaat hij in galop. Het ziet er wel heel mooi uit. Als je Laura en hem voor het eerst zou zien, zou je denken dat je een meisjesdroom zag: een goudblonde pony met lange manen met een knap meisje op zijn rug. Jammer dat ze kort haar heeft en een helm op.

In gedachten ziet Rosa een prinses met lang golvend haar, precies de kleur van Zefirs manen of juist iets rossiger. Wat zou dat mooi zijn! En de prinses reed natuurlijk niet in een binnenbak, maar over groene heuvels of door een wei vol bloemen.

Dan gaat Zefir over in draf en in stap en geeft Laura hem een lange teugel. Ze buigt zich voorover en klopt op zijn hals. Ze is klaar.

Rosa staat op en gaat naar buiten. Ze wil niet dat Laura weet dat ze naar haar heeft gekeken. Buiten zoekt ze haar bezem weer op. De spuitplaats is modderig. Die gaat ze schoonvegen.

Als ze klaar is en de bezem op zijn plaats wil gaan zetten, ziet ze Laura de hoek om komen met Zefir aan een halster.

'O, goed dat jij hier bent. Kun je zijn benen even afspuiten?'

Ze geeft het halstertouw aan Rosa.

'Ik denk dat Gea morgen rijdt. Als ze niet kan, belt ze je wel.'

'Goed,' zegt Rosa en draait de kraan open.

Laura vloekt.

'Wat doe je nou weer? Je gaat toch geen ijskoud water over zijn benen spuiten als hij niet vast staat? Je hebt echt geen idee hoe je met paarden om moet gaan, hè?'

'Ik doe het altijd zo,' verdedigt Rosa zich. 'Hij vindt het leuk en hij heeft geen last van het koude water. Hij kijkt altijd om. Als hij vast staat, ziet hij niks.'

'Dan ziet hij maar niks. Ik wil niet dat je risico's neemt met míjn pony.'

Rosa geeft geen antwoord. Ze maakt het halstertouw vast aan de ring. Laura kijkt toe met haar armen over elkaar geslagen.

'Op nieuwjaarsochtend kun je hem poetsen en toiletteren. Kun je dat?'

'Ik kan niet vlechten.'

'Een pony met lange manen hoef je niet te vlechten. Je poetst hem, je vet zijn hoeven in en je gebruikt dat raster dat in ons kastje ligt om een ruitpatroon op zijn achterhand te borstelen. Je legt het op zijn kont en borstelt tegen de haargroei in.'

Rosa draait de kraan open en spuit Zefirs voorbenen af.

'Heb je zin om het te doen of niet?'

'Oké.'
'Geef dan antwoord.'
'Ik zei oké.'
'Goed,' zegt Laura. 'Nou, jij maakt het verder wel af hier.'
Zonder te groeten loopt ze weg.
Rosa wacht tot ze uit zicht is. Dan maakt ze het touw weer los en neemt het in haar hand.

'Kijk, Zefie,' zegt ze zacht, 'zo doen wij dat.'
Ze richt de waterstraal op zijn achterbenen, terwijl de pony en zij allebei kijken hoe de straaltjes langs zijn hoeven lopen en een riviertje vormen dat naar het afvoerputje stroomt.

De Nieuwjaarscarrousel

Nog voor haar ouders op nieuwjaarsochtend wakker zijn, is Rosa klaar om naar de manege te gaan. Ze is niet opgebleven om het vuurwerk te zien.

Haar ouders hadden vrienden uitgenodigd om oudjaar te vieren. Ze kwamen om een uur of negen. Tot die tijd hadden ze met zijn drieën televisie gekeken. Dat vond Rosa gezellig, maar toen de eerste gasten kwamen, is ze naar haar kamer gegaan. Ze zag er tegenop om al die vreemde mensen te begroeten met een hand of, nog erger, met een zoen en antwoord te moeten geven op rare vragen.

Van de knallen en het vuurwerk heeft ze nauwelijks iets gemerkt. Ze was moe. Op oudejaarsdag is ze niet meer in de manege geweest. Gea belde op om te zeggen dat zij naar Zefir ging. Ze is eerst naar oma gegaan, samen met haar vader. Daar kreeg ze twee oliebollen.

’s Middags is ze in het eetcafé geweest. Annet heeft haar laten zien hoe ze appelflappen maakte. Ze mocht helpen met beslag roeren voor de oliebollen. Donna hielp ook mee.

Zij en Annet vroegen of de zussen al terug waren. Rosa aarzelde of ze zou vertellen over Laura. Ze wilde niet dat ze tegen haar zouden zeggen dat ze ermee op moet houden.

‘Ik weet het al,’ zei Donna met één blik op Rosa. ‘Ik kan het gewoon aan je gezicht zien.’ Toen had Rosa verteld hoe Laura tegen haar had gedaan.

‘Het zijn krengen,’ zei Donna. ‘Je moet echt van ze af.’

Rosa keek ongelukkig voor zich uit en gaf geen antwoord.

Annet had alleen geluisterd en even in Rosa’s wang geknepen.

'Komt allemaal goed,' zei ze en knikte Rosa bemoedigend toe. 'Jij weet wanneer je tijd is gekomen.'

Op de fiets bedenkt Rosa wat ze zal doen. Ze kan proberen met de zachte paardenborstel Zefirs manen te kammen, maar het gaat veel beter met de gewone haarborstel. Het maakt niets uit. Ze hebben toch altijd wat aan te merken. Het dikke vachtje bij zijn hoeven, het *behang*, kan ze ook met die borstel kammen. Dat wordt vast prachtig. En ze zal hem extra lang roskammen, tot zijn vacht glanst.

Als ze eenmaal bij Zefir in de box staat en met het werk is begonnen, hoeft ze nog alleen haar eigen plannen uit te voeren. Het wordt schitterend. Zijn manen golven, zijn huid lijkt wel van goud en op zijn beide billen heeft ze met het raster een ruitpatroon geborsteld.

Terwijl ze bezig is Zefirs hoeven in te vetten, hoort ze haar naam. Dat is Donna.

Ze komt overeind. Donna pakt de tralies van de boxdeur.

'Gelukkig nieuwjaar!'

'Jij ook gelukkig nieuwjaar!' antwoordt Rosa blij.

'Ik kom niet bij je in de stal hoor,' giechelt Donna. 'Want ik heb die ene krokodil al gezien. Laat ze niet merken dat ik bij d'r pony in de box sta.'

'Welke van de twee?'

'Gea. Ze heeft cola, dus ze is nog even boven. Maar ze zat op te scheppen tegen een van de eigen-paardenmevrouwen, dat haar *groom* – dat ben jij – al voor haar aan het werk is.'

'Nou ja!' zegt Rosa verontwaardigd.

Donna lacht.

'Help jij mij straks nog met Tiptop?' vraagt ze. 'Ik wil ook wel een groom.'

'Ik moet nog zadelen,' zegt Rosa. 'Daarna help ik jou.'

'Jammer dat jij zelf niet meerijdt.'

'Ik vind het niet erg,' zegt Rosa. 'Ik wist dat ik niet tegelijk Zefir kon verzorgen en meerijden. Ik ga straks lekker naar jou kijken. En zorgen dat jij niet vies wordt van het poetsen. Wacht maar héél even.'

Met de kwast smeert ze de laatste hoef in en maakt het emmertje hoevenvet dicht. Donna loopt met haar mee naar het kastje.

'Ik draag het schabrak en het hoofdstel wel,' biedt ze aan. Rosa neemt het zadel.

Als Zefir erbij staat alsof hij naar een sprookjesbal gaat, beginnen ze met Tiptop.

'We kunnen hem ook wel een ruitpatroontje geven,' zegt Rosa, als de pony is gezadeld.

'Mag dat?' weifelt Donna.

'Ja hoor eens, daar slijt dat raster heus niet van hoor! En het kan me niks meer schelen. Ze schelden maar een eind weg.'

Donna kijkt haar bewonderend aan.

Rosa zet haar handen in haar zij.

'Het is graag of helemaal niet,' verklaart ze.

Donna schiet in de lach.

'Wat betekent dat nou weer?'

'Geen idee,' zegt Rosa. 'Gea zei het laatst. Ik geloof dat ze bedoelde dat ik gauw *ja* moest zeggen of anders was mijn beurt voorbij.'

Ze gaat naar het kastje en haalt het raster. Net als ze het terug heeft gelegd, komt Gea de stal in.

'Ben je klaar?' vraagt ze.

Rosa maakt een gebaar in de richting van Zefirs box.

'Je kunt erop.'

'Hou je hem even vast terwijl ik opstap?'

'Zo meteen. Ik help mijn vriendin eerst.'

Ze gaat terug naar de stand, waar Donna met Tiptop klaarstaat.

Alle ruiters stijgen buiten op en gaan naar de buitenrijbaan om los te stappen. Niemand mag draven, anders worden de paarden veel te onrustig. Ze zijn niet gewend om met zovelen te zijn.

Er zullen straks meer dan dertig paarden meerijden, telt Rosa en bijna net zoveel pony's. Dat is het leuke van de Nieuwjaarscarrousel. Er wordt maar heel even gereden, maar het is een indrukwekkend gezicht met al die paarden en pony's tegelijk in de binnenrijbaan.

Als Donna in het zadel zit, loopt ze met haar mee naar de buitenrijbaan. Pas als Donna op de hoefslag is en kalm rondstapt, gaat ze Zefir halen.

Gea is zenuwachtig, ziet ze. Ze staat bij de deur waar ze de buitenbak kan zien en staart met een benauwd gezicht naar de paarden terwijl ze korte tikjes met haar zweep tegen haar rijlaars geeft.

'Ik haal hem wel,' zegt Rosa. Gea staat nog op dezelfde plek als ze met Zefir naar buiten komt. Ze schuift de beugels naar beneden en helpt Gea met opstijgen. Dan brengt ze haar naar de rijbaan.

'Neem de zweep maar weer mee,' zegt Gea. 'Ik heb hem niet nodig.'

Zonder iets te zeggen pakt Rosa hem aan en loopt weg. Als ze langs de hooiberg komt, pakt ze wat hooi om in Zefirs box te leggen. Dat is voor straks.

De toeschouwers zijn inmiddels naar de tribune gestroomd. Er klinkt muziek door de luidsprekers. Een laatste ruiter stapt op. Het is het onaardige meisje dat eerder op Dorrit reed. Ze gaat op een van de paarden van de Tantes. De Tante staat ernaast en helpt het meisje met nasingelen.

Rosa kijkt nog even of alles goed is met Donna. Tiptop dribbelt een beetje, maar hij doet niet gek. Achter Donna rijdt Sem, op Dorrit. Gek genoeg gedraagt Dorrit zich best netjes. Ze dribbelt ook, maar niet erger dan Tiptop. Of Quincy.

Zefir is wel veel zenuwachtiger dan anders, hij wil steeds wegspringen. Gea houdt zijn teugels héél strak vast.

De buitenrijbaan is nu bijna helemaal vol paarden en pony's. Iedereen is er. De volwassenen hebben zwarte rijjasjes aan, witte broeken en een plastron, zo'n wit sjaaltje dat ze bij wedstrijden om moeten. Sommige kinderen zijn ook in wedstrijdtenue, maar de meeste dragen een gewone rijbroek en een trui.

Het is tijd om een zitplaats te zoeken. De oude mensen zitten in de kantine. Die vinden de tribune zeker te koud. Rosa zoekt een plaatsje op de tweede rij. Daarvandaan kun je goed zien wat er gebeurt en je kunt de muziek beter horen.

Tamara komt via de toegangsdeur van de stal binnen. Ze is ook in tenue, met een zwart hoedje op, in plaats van een cap of een helm.

Ze steekt de rijbaan over en maakt de grote deuren die naar de buitenmanege leiden, open. Dan klinkt opzwepend hoorngeschal en komt Axel in galop op een grote schimmel als eerste binnen. Hij ziet er schitterend uit met een zwarte hoge hoed, die hij met een zwaai afzet als hij halt houdt op het midden. Hij groet de toeschouwers op de tribune, draait een halve slag en groet de mensen in de kantine. Dan zet hij zijn hoed weer op.

De muziek verandert in een bruisend marstempo en achter elkaar komen eerst de pony's en dan de paarden in draf binnen, twee aan twee. Voorop rijdt de tweede Tante, samen met iemand die Rosa niet kent.

De eerste paren zijn allemaal gevorderde ruiters. Rosa ziet de mevrouw van de voskleurige ruin. Achter de paarden rijden de ponykinderen in willekeurige volgorde, allemaal twee aan twee. Er zijn geen beginners bij. Die mogen nog niet in de Nieuwjaarscarrousel. Naast Donna zit Sem. Zefir rijdt achterin, net voor de paarden. Hij draaft redelijk netjes.

Axel geeft de commando's vanaf het midden. Hij laat alleen slangenvoltes rijden, anders is er te weinig ruimte. Ze veranderen van hand.

Eerst lijkt het allemaal goed te gaan. Er bokt wel hier en daar een paard of een pony, maar niemand verliest zijn evenwicht. Dan schiet Dorrit plotseling uit de rij en begint te bokken, Mirke geeft haar gilletje en maakt een paar rare sprongen.

Sem weet Dorrit terug te krijgen in de rij, maar hij komt op een andere plek terecht, net voor Zefir. Daar geeft Dorrit nog een bokje, niet heel hoog, maar dan gaat het toch mis met Zefir.

Rosa ziet het aankomen. Gea hangt met alle macht aan de teugels. Zefir probeert zijn mond te bevrijden van het gesjor. Dat lukt niet en dan geeft hij een paar felle boze bokken.

Gea wordt eerst naar links, dan naar rechts gegooid en glijdt dan hulpeloos via zijn hals in het zand. Het zal niet eens zo'n pijn hebben gedaan, want ze is niet als een kanonskogel afgeschoten, maar ze zet een enorme keel op.

Axel laat iedereen meteen halt houden en springt van zijn paard. Tamara snelt ook toe om Gea overeind te helpen. Zefir gaat een rondje in galop maar wordt door een van de volwassenen bij zijn teugel gegrepen. Hij blijft met opengesperde neusgaten staan.

'Wil je er weer op?' vraagt Tamara.

'Néé!' schreeuwt Gea boos. 'Het komt allemaal door háár! Zij heeft hem verreden.' Ze wijst in de richting van de tribune, waar Rosa zit. Tamara's ogen glijden over de tribune.

Schuin voor haar op de eerste rij zit Laura, ziet Rosa nu.

'Kom jij?' vraagt Tamara.

Laura heft haar handen op.

'Nee hoor,' zegt ze, 'ik heb nette kleren aan.'

Dan ziet Tamara Rosa. Ze vouwt haar handen open in een vragend gebaar. Rosa weet niet waar ze kijken moet van verlegenheid.

'Kom maar,' zegt Tamara rustig. Rosa zou wel door de plankieren van de tribune willen zakken, maar dan voelt ze een duwtje in haar rug. Ze kijkt om en ziet de andere Tante achter zich.

'Ga jij er maar op, kind, jij rijdt veel beter dan dat meisje.'

'Ik heb geen wedstrijdkleren,' stottert Rosa. Haar rijbroek is vuil en ze draagt een lichtgele sweater onder haar bodywarmer. Ze ziet er niet uit. De Tante lacht haar bemoedigend toe.

'Ga nou maar,' zegt ze. 'Het is maar even, voor het laatste rondje.'

Rosa staat op en loopt verdoofd naar Zefir, pakt de teugels en kijkt om naar Tamara. Die helpt haar in het zadel. Axel stijgt ook weer op.

Rosa voelt eerst nog een beetje spanning onder zich, maar ze neemt de teugels losjes in gevoel, vooral niet te strak. Ze buigt zich over de hals van de pony en streelt door zijn manen.

'Zefie?' zegt ze zacht. 'Bráááf!'

Dan stuurt ze hem naar de hoefslag. Iemand heeft ruimte voor haar gemaakt naast Donna.

'Draf!' commandeert Axel. 'Doorgaande slangenvolte met drie bogen!'

Het is heerlijk om naast Donna te rijden. Tiptop is iets kleiner dan Zefir en zijn manen zijn donker, maar de twee pony's staan prachtig bij elkaar. Rosa is absoluut niet meer bang.

Nog vier keer rijden ze samen rond, dan laat Axel iedereen in stap gaan en mogen ze zich opstellen in hoefijzervorm langs alle zijden, behalve de korte zijde bij de kantine. Daar gaan Axel en Tamara staan, met de schimmel tussen hen in. De muziek gaat uit. Barbara is uit de kantine gekomen om een microfoon te brengen. Axel houdt een korte toespraak.

Rosa kan haar aandacht er niet bijhouden. Ze kijkt naar Donna, die naar haar lacht. Dan zoekt ze op de tribune. Zouden Laura en Gea zijn gebleven om te kijken? Ze ziet hen niet, maar wel de Tante, die haar met nadruk toeknikt.

Als Axel is uitgesproken, wenst Tamara iedereen nog een gelukkig nieuwjaar. Dan stijgt Axel weer op en stapt naar het midden van de manege. Tamara zet de deuren naar de buitenbak open.

'Wij formeren de carrousel weer, twee aan twee, voorwaarts in stap en de rijbaan verlaten!' commandeert Axel. 'Eerst de pony's, dan de paarden!'

Even later is iedereen buiten. Tamara is er ook.

'De pony's mogen afwenden op de lange zijde, halthouden op de A-C-lijn en afstijgen,' roept ze. 'De paarden blijven in stap op de hoefslag tot alle pony's weg zijn! Ponyruiters, blijf niet rondhangen in de stal, breng je beest zo snel mogelijk naar de stands. Afzadelen, deken opleggen, bit spoelen en dan meteen weg, zodat de paardenruiters de ruimte hebben.'

Rosa en Donna lopen samen met hun pony's naar binnen.

'Ik zie je zo wel, als ik Tiptop op de stands heb gezet,' zegt Donna.

Rosa loopt door naar de box. Eigenlijk geldt de opdracht om op te schieten niet voor haar. Niemand heeft er last van als zij langer werk heeft, want ze hoeft niet in de gang te staan en ook niet in de zadelkamer te zijn. Maar ze voelt zich niet op haar gemak met Gea en Laura in de buurt.

Snel maakt ze de singel los en tilt het zadel en het schabrak van Zefirs rug. Ze neemt het hoofdstel af en legt de spullen in een hoek van de box. Zefirs rug en flanken zijn nat. Dat komt door de spanning. Ze maakt een prop van stro en wrijft hem zo goed mogelijk droog. Dan legt ze zijn deken op. Zefir laat haar rustig haar gang gaan. Hij hapt niet naar haar.

‘Ik neem je mee naar de spuitplaats,’ besluit ze plotseling.

Ze ruimt het zadel op, wast het bit en hangt het hoofdstel in het kastje. Dan pakt ze het halster en haalt Zefir op.

Bij de stands staat Donna met Sem en Bertil.

‘Ik spuit zijn benen nog even af,’ zegt Rosa.

Donna streelt Zefirs hals.

‘Oké, we wachten in de kantine op je,’ zegt ze.

Op dat moment komen Gea en Laura met grote stappen de stal in gelopen. Laura heeft een beige wollen jas aan en lichtbruine puntlaarzen. Gea heeft een roze winterjack over haar wedstrijdjasje aangetrokken en houdt een zweep in haar hand.

‘Jou moet ik hebben!’ snauwt ze met toegeknepen ogen terwijl ze de zweep op Rosa richt. Met een paar stappen staat ze naast haar en grist het halstertouw uit haar hand. Zefir gooit zijn hoofd omhoog.

‘Hier blijven!’ snauwt Gea en ze geeft een ruk aan het touw.

Rosa deinst geschrokken terug.

Laura kijkt haar zus even met een afkeurende blik aan, maar dan haalt ze haar schouders op.

‘Wij hebben het erover gehad,’ begint ze met een lijzige stem, alsof het haar allemaal maar half interesseert. Ze krijgt geen kans om haar zin af te maken.

‘Het komt door jou dat hij zo idioot deed!’ gilt Gea. ‘Jij hebt hem verpest!’

‘Hè, Gee, hou toch je mond,’ valt Laura uit haar rol. ‘Je reed zelf als een krant. Maar mijn zus heeft gelijk,’ gaat ze verder, ‘jij doet die pony geen goed.’

Rosa voelt het bloed uit haar gezicht wegtrekken.

‘We vinden, dat het zo wel genoeg is geweest, hè Gé?’

‘Je hebt hem verpest!’ schreeuwt Gea weer. ‘Zijn rug is helemaal stijf en zijn mond is van beton. Door jou!’ Het is net of Gea’s stem van heel ver klinkt.

Rosa doet een paar stappen opzij. Ze staat nu naast Donna. Trillend van woede grijpt ze met haar rechterhand de mouw van Donna's trui, met haar linker pakt ze de hand van Bertil. Die is zo overdonderd dat hij zich niet verzet. Sem komt vlak achter hen staan.

'Zefir is een fantastische pony,' zegt Rosa met een lage duidelijke stem. 'Ik had hem nooit in de steek willen laten. Er moest heel wat gebeuren, maar jullie hebben het voor elkaar. Ik doe het niet meer.'

Laura en Gea kijken haar verbaasd aan. Ze hebben Rosa nooit meer dan één gemompeld woord tegelijk horen zeggen.

'Nou, dat komt dan goed uit,' zegt Laura schouderophalend. Ze draait zich om en loopt weg. Gea gaat niet met haar mee. Ze komt zelfs dichterbij.

'Ik had jou nooit moeten nemen!' sist ze tegen Rosa. Ze heft haar vuist met het touw erin omhoog en schudt hem dreigend in Rosa's richting.

Rosa wil waarschuwen, maar het is al te laat. Zefir heeft zijn oren plat tegen zijn hoofd gelegd en bijt in haar arm. Hard! Gea schreeuwt het uit.

'Rotbeest!' gilt ze. Ze heft haar zweep op om haar pony te slaan, maar dan staan er ineens vier kinderen om haar heen, die de zweep en het touw uit haar hand trekken.

Zefir springt opzij. Rosa legt een hand op zijn schouder en neemt het halstertouw losjes in haar hand. Ze voelt zijn huid trillen. Sem en Donna grijpen Gea bij haar jas en slepen haar naar de open staldeur.

'Opzouten!' zegt Sem en geeft haar een duw zodat ze naar buiten struikelt.

'En als je ooit nog een lelijk woord tegen mijn vriendin zegt, kun je van mij ook een hengst met een zweep krijgen,' voegt Donna er aan toe. Ze smijt het ding naar Gea toe.

Zefir staat te beven van angst, maar hij vlucht niet. Rosa

streelt hem almaar door zijn manen, terwijl ze zachtjes tegen hem praat. Bertil blijft naast haar staan.

'Ik zet hem in zijn stal,' zegt Rosa als Sem en Donna hijgend terugkomen.

'Goed,' zegt Donna. Ze strekt haar hand uit om Zefir te strelen, maar hij is helemaal overstuur en gooit zijn hoofd omhoog.

'Kijk nou toch, dat arme beest!' zegt Donna.

'Stil maar, Zefir,' fluistert Bertil. Sem kijkt hoofdschuddend toe.

'Wij kunnen beter in de kantine op je wachten, Roos,' zegt hij.

Hij wenkt Bertil, die even aarzelt, voor hij mee komt.

Rosa kijkt haar vrienden na terwijl ze de stal uit lopen.

Dan brengt ze Zefir naar zijn box.

Ze schuift het halster over zijn hoofd en legt haar voorhoofd tegen zijn hals. Ze weet dat ze afscheid moet nemen. Maar ze blijft net zolang bij hem tot hij rustig is. Tot hij zijn hoofd buigt om aan zijn hooi te knabbelen. Dan doet ze een stap terug en haalt diep adem.

'Dag lieve Zefir,' fluistert ze. 'Dag lieve superpony!'

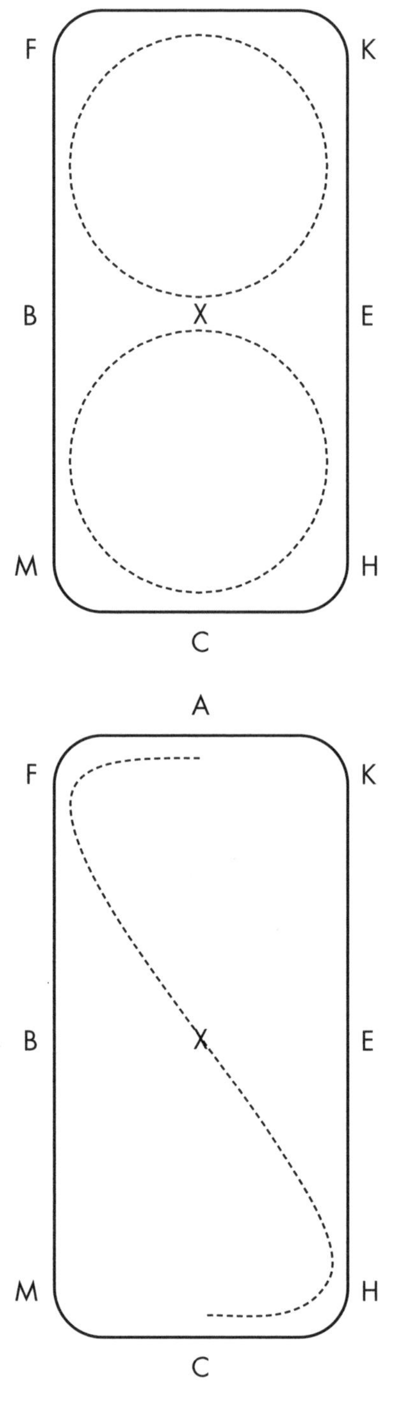

Een volte bij A en een volte bij C. Een grote volte raakt de hoefslag (de wand van de manege) aan beide zijden

Over de diagonaal van hand veranderen (van rechtsom naar linksom of omgekeerd).

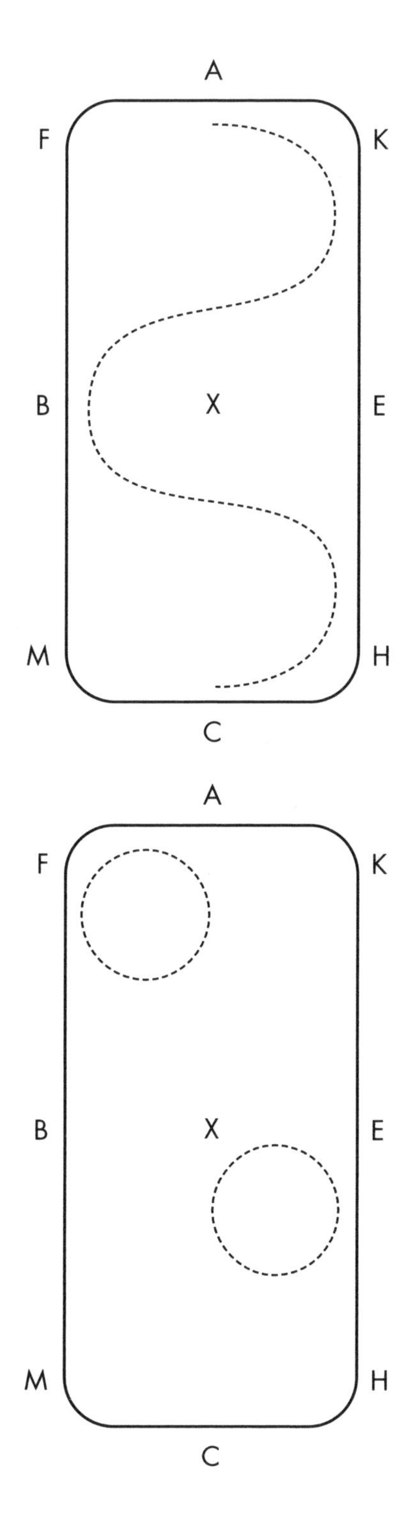

Slangenvolte met drie bogen: halve voltes met een recht stukje erin

Kleine voltes zijn voltes tot de helft van de rijbaan (de A-C-lijn).